La Kahina

Gisèle Halimi

La Kahina

Traducción de
Alejandra Añón

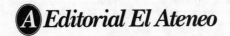

A Editorial El Ateneo

Halimi, Gisèle
La Kahina. - 1a ed. - Buenos Aires : El Ateneo, 2007.
304 p. ; 23x15 cm.

Traducido por: Alejandra Añón

ISBN 978-950-02-3101-5

1. Narrativa Francesa. 2. Novela Histórica. I. Añón, Alejandra, trad. II. Título
CDD 843

Título original: La Kahina
© Plon, 2006

Derechos exclusivos de edición en castellano para todo el mundo
© 2007, Grupo ILHSA S.A. para su sello Editorial El Ateneo
Patagones 2463 - (C1282ACA) Buenos Aires - Argentina
Tel.: (54 11) 4943 8200 - Fax: (54 11) 4308 4199
E-mail: editorial@elateneo.com

1ª edición: octubre de 2007

ISBN: 978-950-02-3101-5

Diseño de cubierta: Departamento de Arte de Editorial El Ateneo
Armado de interiores: Mónica Deleis

Impreso en Verlap S.A.
Comandante Spurr 653, Avellaneda,
provincia de Buenos Aires,
en el mes de octubre de 2007.

Queda hecho el depósito que establece la ley 11.723
Libro de edición argentina

A la memoria de Édouard "el Magnífico",
mi padre.

Quiero saber de dónde parto
para conservar tanta esperanza.
PAUL ELUARD

Escribir es un acto de amor.
Si no, sólo sería escritura.
JEAN COCTEAU

Escribo para recorrerme.
HENRI MICHAUX

Breves referencias cronológicas

643 Los árabes toman por asalto Trípoli.
647 *Primera expedición árabe a Ifrikiya, hasta Bizacena (hoy Túnez).*
656? Nace la Kahina en Thumar, en el Aurés.
665 *Segunda expedición árabe a Ifrikiya.*
670 *Tercera expedición árabe a Ifrikiya.* Okba ibn Nafi es nombrado gobernador de esa provincia y funda Kairuán.
675 Abou el-Mohadjer sucede a Okba ibn Nafi. Toma prisionero a Kuceila, jefe bereber.
681 Okba ibn Nafi, a cargo del gobierno de Ifrikiya una vez más, invade el Aurés.
683 Liberado, el jefe bereber Kuceila derrota al enemigo en la batalla de Tahouda. Muere el general árabe Okba ibn Nafi.
685 Abd el-Malek es el nuevo califa musulmán (685-705); Justiniano II, el nuevo emperador bizantino (685-695).
688 *Cuarta expedición árabe a Ifrikiya.* Victoria árabe de Mems, al mando de Zoheir ibn Cais el-Beloui. Muerte de Kuceila, jefe bereber.
695 *Quinta expedición árabe a Ifrikiya.* Leoncio es el nuevo emperador bizantino (695-698). El general árabe Hassan ibn Noman el-Ghassani toma Cartago. La Kahina lo vence en Oued Nini, por lo que acaba retrocediendo a Cirenaica.
697 Bizancio reconquista —temporalmente— Cartago.
698 *Sexta expedición árabe a Ifrikiya.* Tiberio III es el nuevo

emperador bizantino (698-705). Hassan regresa y los árabes recuperan definitivamente Cartago.

700   Muere la Kahina, a manos de Hassan ibn Noman el-Ghassani.

709   Toda África del Norte, desde el Mar Rojo hasta el océano Atlántico, es anexada al imperio de los califas.

711   Los musulmanes conquistan España.

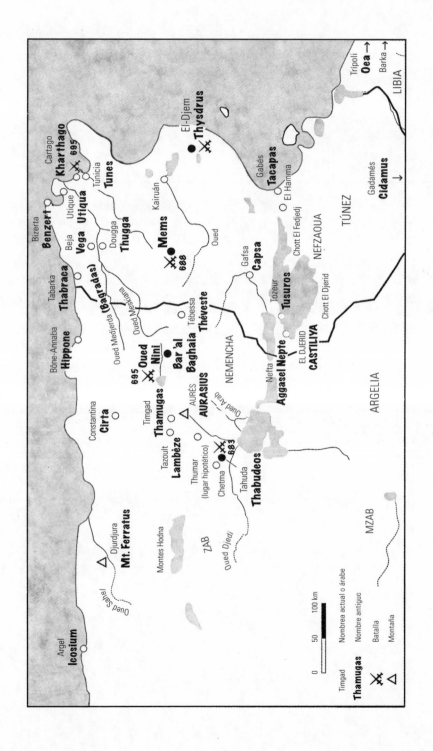

Argel
Icosium

Djurdjura
Mt. Ferratus

Montes Hodna

ZAB

Oued Djedi

MZAB

Oued Sahel

Constantina
Cirta

Tazoult
Lambèze

Timgad
Thamugas

AURÉS
AURASIUS

Thumar
(lugar hipotético)

Chetma
Tahuda
Thabudeos

Bône-Annaba
Hippone

Tabarka
Thabraca

Oued Medjerda

Oued Nekhiana

(Bagradas)

695 **Oued Nini**

Bar'al
Baghaia

NEMENCHA

Oued Arab

Bizerta
Benzert

Beja
Utique
Vega Utiqua

Dougga
Thugga

Tébessa
Théveste

EL DJERID
Nefta
CASTILIYA

Aggasel Nepte
Agasel Nepte

Cartago
Kharthago

Tunicia
Tunes

Mems

Oued

Kairuán

El Hamma
El Fedjedj

Gafsa
Capsa

Tozeur
Tusuros

Chott El Fedjedj

NEFZAOUA

Chott El Djerid

El-Djem
Thysdrus

Gabés
Tacapas

TÚNEZ

Gadamés
Cidamus

Tripoli
Oea →
Barka →

LIBIA

ARGELIA

0   50   100 km

Nombrea actual o árabe

Timgad
Thamugas   Nombre antiguo

Batalla

Montaña

Advertencia

꩜

He preferido emplear los nombres antiguos —la mayoría de ellos romanos— que se usaban en el siglo VII.

Sin embargo, a raíz de las sucesivas invasiones árabes en África septentrional, algunas palabras de ese origen penetraron en los vocabularios bizantino y bereber.

꩜

Nota de edición

Se ha incluido un glosario al final del texto donde el lector encontrará definiciones o explicaciones de las palabras que llevan asterisco.

A modo de introducción

⤳

"**M**i abuelo paterno solía contarme episodios de la epopeya de la Kahina,* esa mujer que cabalgaba a la cabeza de sus ejércitos, con el cabello color miel suelto, rozándole la cintura. De niña, la imaginaba vestida con una túnica roja, bella, tal como la describían los historiadores. Quedó viuda en la plenitud de su edad, por lo que sola debió enseñar a sus dos hijos el arte de saber perpetuarse hábilmente en el poder. Esa adivina, esa pasionaria bereber mantuvo en jaque a las tropas del árabe Hassan durante cinco años".

¿La Kahina era judía? Nadie lo sabe a ciencia cierta.

Esa mujer de poderes sobrenaturales me fascinaba. Cuando aún era estudiante, solía transportarme con la imaginación a las ruinas de El-Djem, donde dicen que mandó cavar un túnel subterráneo bajo el inmenso coliseo para resistir el ataque enemigo.

Era una gran estratega: en el siglo VII inventó la táctica de tierra quemada. Unos cuantos siglos después, los rusos la utilizaron para derrotar a Napoleón.

Reinó como jefa militar sobre gran parte de África del Norte, del Aurés a Bizerta, de Constantina a Tacapas. Ningún caudillo fue tan incuestionable y nadie condujo a las tropas con tan absoluta generosidad.

Liberó a todos sus prisioneros árabes. Salvo a uno, Yesid, también llamado Khaled, un joven bello como el mismísimo desierto, a quien adoptó, según la costumbre bereber, acercándolo a su pecho como si fuera a amamantarlo.

Él la entregó a los árabes. ¿Fue su amante? ¿Encontró la

felicidad a su lado? ¿La traicionó para romper el hechizo que lo mantenía atado de pies y manos a esa mujer subyugante? ¿Quiso volver a abrazar, así, la causa árabe?

La Kahina presintió su final. Primero, salvó a sus hijos, a quienes les aconsejó que se entregaran y se convirtieran al islam.

No encontré aquel pozo, Bir el-Kahena, en cuyo brocal dicen que fue decapitada. Tal vez, murió en una de esas bahías, inmaculadas como el primer día, cerca de Tabarka.

¿Mis antepasados paternos eran militantes de la resistencia a ultranza o, por el contrario, aliados a Hassan, habrían vuelto a profesar el judaísmo de la Kahina tiempo después?

Estas líneas fueron extraídas de *La leche del naranjo*,[1] escrito en 1988, que continúa mi relato autobiográfico iniciado con *La causa de las mujeres*.[2]

Quise cerrar el ciclo con la Kahina, como un modo de volver a mis orígenes.

En su contexto histórico —aunque se sabe que los datos, las versiones y las interpretaciones difieren—, la hice vivir, amar, luchar y morir. Tal vez como mi padre Édouard El Magnífico la hubiera imaginado. ¿Descendía de la Kahina? Quizá. ¿Me enamoré de ella al hacerla revivir? Sí. Apasionadamente.

---

[1] *Le Lait de l'oranger* (La leche del naranjo), Gallimard, 1988; Pocket, 2001.
[2] *La Cause des femmes* (La causa de las mujeres), Grasset, 1974; Gallimard, Folio, 1992.

1

El amor brujo

⁓

𝒟ihya giró sobre sí misma en la cama. La mano de Khaled descansaba sobre su pecho. La alzó con cuidado y la posó sobre su cuerpo. Se levantó. Cerca de un pilar de cedro, los brillantes colores de su *haik** rayado se destacaban sobre el fondo oscuro de la alfombra. Envolvió con él su cuerpo desnudo, satisfecho. Khaled se movió. La estera sobre la que descansaba crujió. La punta de su sexo aún rígido se estremeció, como después de cada encuentro amoroso. El vigor de su amante la conmovía. Dihya anudó bajo sus brazos el largo lienzo, que le cubría los pies. Contempló sus senos y esbozó una mueca de disgusto. Eran senos pesados, maduros, demasiado maduros. Cuando estaba en los brazos de su hijo —pues ella, la reina del pueblo bereber, lo había adoptado de acuerdo con los ritos sagrados de su tribu— olvidaba que la vida, con el transcurrir de los años, abandonaba lentamente su cuerpo. Pero la juventud de su infatigable amante la libraba del paso del tiempo. Respiró hondo; el penetrante olor a tomillo y a resina invadió la tienda real. Era reina, amante de reyes y de pastores trashumantes y, sin embargo, amaba a ese prisionero enemigo a quien había salvado de la muerte y también del cautiverio. Se acercó a la estera: Khaled seguía durmiendo. Si se inclinaba sobre él, podía sentir su respiración. Era tan joven.

Había vivido la mitad de su vida. Aunque ella sólo sabía de su vida lo que contaba Zeineb,* su nodriza, sobre sus primeros años: la epopeya de sus cabalgatas, de las batallas que libró como líder única e indiscutible. ¿Quién podía recordarlas mejor que Tayri,* fiel testigo de la historia del pueblo bereber? La vieja Tayri, con sus ojos grandes llenos de kohl y los cabellos teñidos con polvo de alheña, lucía con gran donaire su túnica azul sujeta a los hombros con fíbulas de plata y solía repetir a quien quisiera escucharla: "He acompañado a todos los jefes y a los más grandes guerreros en sus combates, me trasladaba con ellos a donde fueran. He conocido la gloria de nuestras victorias y el dolor de nuestras desavenencias". Esa vieja prostituta sagrada, memoria viva de la tribu y Casandra de su destino, narraba en detalle las hazañas y las derrotas de los djeraoua,* sobre quienes Dihya brillaba sin par.

Dihya apenas escuchaba: se sabía más fuerte que Tayri, Yahvé, los dioses y el resto de los mortales. Su voz interior y sus dotes de adivina la habían guiado siempre y habían inspirado su estrategia militar. La llamaban la Kahina, la adivina, la maga. El enemigo árabe la consideraba una hechicera implacable. Le temía.

Dihya retrocedió y apoyó el cuerpo sobre el pilar ubicado en el centro de la tienda. Su cuerpo generoso, saciado de placer, al que los años y los hombres habían vuelto sabio, se aferraba a Khaled como al último destello de su vida de mujer. Sabía que iba a perderlo. Y entonces, ¿qué harían con ese deseo impostergable que se apoderaba de sus cuerpos todas las noches? Dihya vivía esos encuentros amorosos como un presente póstumo. Y, también, como una agonía.

Una vez más, alzó con un gesto breve el seno derecho. El mismo que había ofrecido a Khaled durante el ritual que lo convirtió en su hijo.

En la tienda real, Khaled aún dormita sobre el revoltijo de lana que recubre la estera. La Kahina lo contempla, sentada en medio de la gruesa alfombra, regalo de los Nefoussa.* El silencio reina aún, traicionero como la calma que precede a la tormenta, sobre los campos de frutos maduros y los bosques de cedro. En el oasis escarpado, la recolección de hojas de palma ya ha comenzado. Hay que construir más tiendas para cobijar nuevas alianzas.

Dihya sueña despierta. Ella, la Kahina, reina sobre las tribus de los montes y los desiertos, sobre los zenetas,* los louata* e incluso sobre los sanhadja* con velo y los pueblos provenientes de lejanas tierras magrebíes. Profetiza, guía a los jefes y los conduce en el combate.

Ahora, esa misma mujer se estremece de placer. Acaricia levemente la cadera de su amante dormido. Su voluptuosidad, la ciencia con que es capaz de comprender los deseos del cuerpo, le han otorgado un poder capaz de subyugar a sus amantes. Es su otro poder que se revela, según pasan los años, tan implacable en la cama como en el campo de batalla.

Khaled la odia. Cuando sus cuerpos se unen, grita de placer y de odio. El hijo del noble Yesid el-Caici, el escriba letrado, el sobrino del general árabe Hassan ibn Noman el-Ghassani ha caído en manos de la Kahina, después de la victoria bereber de Oued Nini.[1] Es su prisionero. No lleva cadenas, pero está encadenado a su enemigo cuerpo a cuerpo, cautivo de una pasión desenfrenada por la dulce, la bella y feroz Kahina. Es un renegado. No huye. Antes, tendría que recuperar su autoestima. Regresar del fondo de la humillación a la que se somete voluntariamente, de la herida del placer y de la alienación consentida. Rumia su venganza desde

---

[1] Los nombres de los lugares históricos y de las ciudades están escritos a veces en romano y otras, en árabe. En algunos casos, son contemporáneos.

hace dos años, pero la trampa se cierra sobre él, sobre ella y sobre esa pareja perversa.

Dihya lo ha adoptado como hijo. Y exigió que la ceremonia se desarrollara según las leyes de sus antepasados.

Un rayo de sol roza los ojos de Khaled y lo despierta. Se incorpora, se sienta, estira sus largas piernas morenas, mira alrededor y descubre, en un oscuro rincón de la tienda, a la Kahina, su carcelera. El cuerpo y la sensualidad de esa mujer han hecho con él lo que la peor de las prisiones no hubiera logrado.

La mujer a quien le debe la vida —tal vez debería de haber muerto al ser derrotado el ejército de Hassan el-Ghassani, unos cuantos años atrás—, que lo ha nombrado hijo de la reina del Aurés al adoptarlo según sus propios ritos y en presencia de sus dos hijos —tan hostiles como todos los jefes bereberes—, que lo embriagó de sexo hasta convertirlo en quien nunca fue, la mujer por la que ese príncipe árabe ha perdido la cabeza, era el alma de la resistencia bereber, la Kahina. Por ella, había cruzado el desierto, para vencerla y exterminarla. Por ella, por la mujer que acababa de abandonar su lecho, ardiente y satisfecha, y permanecía allí, cerca de él, mirándolo en silencio, absorta y ausente, completamente inmóvil.

Él, Khaled ibn Yesid el-Caici, letrado y escriba enviado por su tío Hassan ibn Noman el-Ghassani, había traicionado a su pueblo y renegado de sus raíces omeyas para entregarse a la lujuria con su propia madre adoptiva, una guerrera que, al mando de sus tribus devotas, había aplastado a Hassan y a los miles de hombres que luchaban bajo las órdenes del califa Abd el-Malek de Damasco, y ya se aprestaba a conquistar Ifrikiya.

Una vez más, como todas las mañanas, cuando se levanta, se mira en el espejo y se juzga. Se desdobla: pone al traidor ante sí y lo condena.

Se viste con un largo pantalón —un *saroual* blanco— y se yergue velozmente, como queriendo impedir su propia ejecución, una costumbre monótona que cumple rigurosamente cuando se despierta. La Kahina, inmóvil, lo contempla. Khaled hunde las manos en sus cabellos largos y los desordena. ¿Se dignará a mirarla? ¿A hundir en ella sus ojos de jade? Dihya le había dicho: "Tus ojos cambian y se vuelven azules cuando hacemos el amor. Y cuando te acuerdas de tu otra vida, se oscurecen como algunas piedras exóticas del Aurés".

Su otra vida es la que se le cuela entre los dedos cuando vuelve a ser el enemigo. Ella está segura de que, esa mañana, Khaled piensa en los capítulos de historia que no escribirá para Hassan. En la boca se le dibuja una ligera sonrisa. El general árabe Hassan ibn Noman el-Ghassani, a quien había derrotado cruelmente al mando de las tribus bereberes reunidas —los djeraoua, los auriba,* los camelleros zenetas, los botr y los branes, y también los bizantinos, los cristianos, los nómadas e incluso los sedentarios de las ciudades—, se hallaba replegado en el sur por orden de Damasco, a la espera de la decisión del califa.

Khaled da unos pasos hacia el lado opuesto de la carpa. Las ramas de palma que la sostienen, crujen. Es el viento del Aurés. Habrá que tenerlo en cuenta a la hora de librar la próxima batalla, esa que se desarrolla en su cabeza, si es capaz de burlar los designios de la Kahina, la sacerdotisa, la sagrada, sus dotes adivinatorias, que subyugan a sus huestes, y sobre todo, sus poderes de hechicera. Khaled oye un quejido, del que se defiende alzando levemente los hombros.

Por fin se vuelve hacia ella, hacia esa mujer a quien su nodriza acunaba de niña con estas palabras: "Dihya, en bereber *tacheldit*, quiere decir bella. Como tú, mi gacela". A lo lejos, su mirada oscura se mezcla con los ojos verdes y luminosos de la Kahina. Hechicera, maga, adivina… poco importa ya. Durante unos segundos, un halo irreal los fusiona:

el recuerdo de la noche y el deseo impostergable, siempre renovado, de poseer al otro, rápido, ahora. Una vez más, extrañas tinieblas invaden el lugar.

La Kahina se desliza como un felino hacia un Khaled inmóvil, que debe detenerla, frenar el engranaje y romper el hechizo. Extiende sus brazos para protegerse, a guisa de armadura. Retrocede hacia el ángulo opuesto de la tienda. Dihya lo sigue. Ambos parecen ejecutar los pasos de una extraña danza, un duelo durante el cual Khaled, para defenderse de ella, imagina las palabras del próximo mensaje que le enviará a Hassan, en el que le informará las últimas novedades. Como siempre, lo esconderá en miga de pan y lo confiará a un emisario fiel a la causa árabe. Describirá al Estado Mayor, con la máxima exactitud posible, las posiciones bereberes, la estrategia del enemigo y el plan de lucha de la mujer que se adueñó de su alma.

Es una doble traición. O una traición en espejo, o una manera de exorcizar el poder de la Kahina. Sin duda, es el precio de su rescate. "Te odio". Khaled pronunció esas dos palabras con ternura, en bereber, la lengua enemiga. Le teme más a esa mujer que a cien diablos reunidos: sabe que ella acabará por aniquilar los últimos vestigios de su resistencia. Tanto tiembla el árabe que la adivina no es capaz de imaginar el complot que lo liberará y permitirá la derrota de los infieles en Ifrikiya.

Se decía que esta hechicera sagrada era judía. Por las tardes, en sus carpas, los narradores recordaban su belleza, su natural seducción, su fortaleza, su sensualidad, su astucia y su excelencia en el arte de la guerra.

—Te odio —repite Khaled. Esta vez, su voz suena a lamento. Dihya se incorpora y, con un gesto rápido, le sujeta los brazos con fuerza detrás de la espalda.

—Tal vez sea así, pero por ahora vivimos uno del otro —replica la Kahina.

Khaled rechaza el cabello de la mujer, que roza su piel, ese rostro salvaje, iluminado por la luz malva de sus ojos. Desea deshacerse con urgencia de ese cuerpo de guerrera y de cortesana.

La pasión que los une se parece a la historia del país. "A mi propia historia", piensa para sus adentros Dihya. Desde el azul profundo del mar hasta el desierto del Sahara, desde los plantíos de alcornoques hasta los picos rocosos, el pueblo bereber, efímero y eterno, escribe su destino. Dihya puede predecirlo y puede encauzarlo. El viento del Aurés será su aliado, como siempre.

Khaled alza el paño que cierra la tienda y sale.

2

"La Kahina está más allá
de los pactos y los juramentos"

Khaled recuerda que Dihya le había ofrecido entregarlo a los suyos.

—Tu madre te espera, debe de estar desesperada —le dijo, mientras observaba el rostro del joven, inmutable ante el enemigo. Khaled había negado con la cabeza en silencio—. ¿No la quieres? —murmuró, desconcertada.

Entonces, era necesario crear ese vínculo. Era tan joven y bello que Dihya quería salvarlo de la muerte y del cautiverio. Para tomar esa decisión, tanto como para repartir el botín que despertaba la codicia y generaba disputas internas, debía contar con el apoyo de los jefes tribales. Los nómadas podían entablar un vínculo fraterno —aunque eso era una excepción— con un extranjero también nómada. La tradición lo autorizaba. Un pacto de guerra entre los jefes tribales decidía la suerte de los prisioneros, así como la de las cosechas y el oro incautado. Los zenetas, nómadas solidarios y consustanciados con su reino, lo aceptarían. Pero los branes, sedentarios y recelosos, fueron reemplazados por los primeros en el círculo íntimo que rodeaba a la Kahina, razón por la cual se alzarían probablemente contra ellos. Fueron humillados y querían cobrar venganza. Khaled sospechaba que la coalición de los quince jefes, quebrada por la repartija de bienes y de hombres cautivos, tarde o temprano se rompería.

Tal vez fuera necesario ejecutar a Khaled, un criminal de alto rango, enviado de Hassan y de Alá, en el campo de batalla.

Ochenta prisioneros en cuclillas, con la cabeza gacha, aguardan en el campo de batalla de Meskiana. Son nobles y jefes. La Kahina quiere tratar al enemigo con indulgencia, para dar una lección a los invasores bárbaros. Pide, en nombre de Yahvé, que sean perdonados y devueltos a sus hogares.

—Estos no son hombres que vivan en chozas —dice la Kahina, con ironía, provocando en cierto modo a los branes. Recuerda que el ejército bereber diezmó a las tropas árabes—. Somos el pueblo elegido por Dios. La ley del talión no nos permite matar por matar —agrega. Los jefes tribales protestan. Algunos de ellos se levantan y vociferan—. ¡Basta! ¡Libérenlos! —grita la Kahina. Ha dado la orden, hay que obedecer—. Por gestos de esta naturaleza se reconoce a nuestro pueblo —añade en voz baja.

La suerte de unos diez lanceros ya había sido decidida antes de su llegada. Era demasiado tarde. La Kahina ya no podía intervenir. Debían morir. Se levantan uno por uno: han oído su sentencia y parten. Muchos de ellos impasibles, con la frente alta, otros rezando a Alá, el todopoderoso, en voz baja. Al pasar frente a ella, uno le espeta:

—Nos cortas la cabeza. La tuya también rodará.

Dihya permanece inmóvil, presa de un feroz estremecimiento: acaba de sentir el frío intenso de la hoja del cuchillo sobre el cuello. Ya lo sabía: una tarde vio su cabeza en una nube rosa.

El grupo de los ochenta indultados parte. Cuando Khaled pasa ante ella, la reina se pone de pie.

—Ese no, que no se mueva. Es mío, me pertenece —sostiene con firmeza Dihya. El joven está allí, de pie, desarmado. Perdió el arco y las flechas. Es un adolescente, tiene los ojos brillantes y negros, la piel oscura y la boca de un niño. Un silencio absoluto paraliza a los hombres durante algunos segundos. Luego alguien se mueve, en el fondo, y el grupo vuelve a ponerse en marcha. Algunos miembros de la tribu de los auriba rodean a Khaled.

—Debe morir —insisten.

—No —responde la Kahina—, no morirá. Ni él ni los otros prisioneros.

—¿Y el pacto? —pregunta uno de ellos.

La noche anterior, cuando Dihya anunció a sus hijos, Yazdigan el griego e Ifran el bereber, que protegería a Khaled, estos se opusieron. El primero le recordó su juramento. Todos los jefes se habían comprometido a decidir en conjunto y en igualdad de condiciones si ejecutaban o salvaban de la muerte a los prisioneros, si se los apropiaban para integrarlos en la tribu o los liberaban. Incluso la Kahina.

—La Kahina está más allá de los pactos y los juramentos —contestó, con tono mordaz—. Yo fui quien los condujo a la victoria, nunca lo olvide —le espetó con desprecio a Anazar,* jefe de los branes. Fue entonces cuando Azerwal* se acercó a su compañero Anazar. Desenfundó un puñal y se abalanzó sobre Khaled. Pero con una brusca media vuelta, la Kahina le cerró el paso.

—Es un enemigo que quiere acabar con nosotros —rugió el agresor, a quien la reina bereber había impedido el ataque.

—Sean cuales fueren los crímenes perpetrados por un hombre, si una mujer le ofrece el pecho para adoptarlo como hijo, lo exime de todo castigo —arguyó la Kahina, con calma, erigiéndose en guardiana de los ritos de su tribu. Y añadió—: Ustedes conocen el valor de esta costumbre. Es nuestra ley.

Khaled quiere vivir. Todo su ser es depositario de esa idea: vivir, vivir a cualquier precio. Por eso reprime un rictus sarcástico cuando oye que esa mujer, a su edad, quiere darle el pecho. Un pecho vacío, seco como el *oued**** en primavera. Y sin embargo, era la mujer más hermosa que había visto en su vida. Los años le habían otorgado a su natural belleza la intensa luz de una puesta de sol.

Esa farsa acabó humillándolo. Pero quería vivir. Por eso, cuando la reina ordena: "Mañana reúnan a todos los jefes. Procederé a adoptarlo según la costumbre de nuestra tribu, en público", siente que la sangre de su nacimiento le irrumpe con violencia en las venas, se apodera de todo su cuerpo y lo embriaga. Si lograba seguir vivo, pronto sería libre y, a caballo, encontraría en el bosque el camino de sus hermanos. Alá es grande. Sabrá guiarlo.

3
La adopción

Al día siguiente, en el cónclave en que los botr y los branes,
los nómadas y los sedentarios, se codean, se odian y se alían,
la Kahina repite:

—Es mío. Será mi hijo.

Se acerca a Khaled, su cuerpo se confunde con el del
joven. Teme los puñales y los venablos que brillan en medio
de esos hombres reunidos. No les quita los ojos de encima.
Sabe lo que cuesta sostener su mirada, verde como el mar al
sol. Hasta los branes, hostiles, reducidos a tribu secundaria
—la reina de los djeraoua había elevado el rango de los zenetas, nómadas como ella, en detrimento de los sedentarios—,
se han callado. Para evitar caer bajo el embrujo de la Kahina,
sus jefes observan el cielo, más allá de la cresta de las montañas. Y acaban por bajar la cabeza. Y por retroceder. Khaled
no morirá. El singular poder de la Kahina los aterroriza. ¿Con
quién había sellado ese pacto adivinatorio que le permitía ver
lo invisible, vivir el futuro, escribir el destino de cada uno y
también el de su pueblo? ¿Con Yahvé, su dios judío? ¿Con
Gurzil, ese ídolo con cabeza de toro que alguna vez llevó
consigo al campo de batalla, para luchar contra los árabes?
¿Con el diablo, agazapado en las rocas y bajo las tiendas?

El silencio es absoluto. Es el silencio de las montañas
cuando pierden su propio eco. Dihya, vestida con un *haik*
rojo de lana rugosa, avanza sobre el peñasco que domina levemente el lugar donde se desarrolla la asamblea. Lleva su

larga cabellera suelta. La alheña que Zeineb, su nodriza, le aplica con tanto esmero, le aporta un brillo singular. Una vez más, obliga a sus guerreros, a los nómadas y a los sedentarios, a esa asamblea conformada por hombres, a someterse a su voluntad. El líder indiscutible de las tribus, tanto en las cuestiones administrativas como en el campo de batalla, es una mujer. Y esa realidad los humilla profundamente. Pero, por ahora, la rebelión anida sólo en el corazón de Ifran, el hijo que Dihya concibió con su marido Aberkan,* un hombre que tenía el alma más negra que la piel.

Ifran discute con su hermano mayor, Yazdigan, en un rincón. Yazdigan es fruto de uno de sus amores adolescentes, un pastor griego con quien compartió sus primeras lides guerreras. Tenían dieciocho años y Dihya quería hacerse mujer. Nunca pudo olvidar esos encuentros amorosos, bajo los arbustos de retamas blancas y a la sombra de los azufaifos, donde experimentó, por primera vez, los placeres del cuerpo. Ya encinta no cambió sus costumbres de guerrera y acompañó a su amante a la batalla. Parió sola, en medio del bosque. Su nodriza ocultó al niño, que se crió en la tribu en el más absoluto de los anonimatos.

La Kahina acompañó a su padre, Thabet, a la batalla de Tahuda, y recién entonces se atrevió a revelarle la existencia de Yazdigan. Tanto él como Tanirt,* su madre, se mostraron sorprendidos. Pero habían tenido un solo descendiente y, aunque mujer, era su única heredera y la luz de sus ojos.

—Hazlo venir cuanto antes junto a nosotros —le dijo Thabet—. Debe ocupar su lugar en la tribu.

Dihya sintió que acababa de ganar su libertad de mujer y, al mismo tiempo, su rango de guerrera. Esa era la libertad de la que goza un hombre.

—Nuestra madre está loca. Ha echado por tierra el pacto que la une a las tribus. Gracias a ellas ha conseguido la victoria y...

—Ifran, cállate. Sabes bien que ella fue quien logró reunirlas y obtuvo la victoria. Tiene derecho —Yazdigan permanece sereno mientras corrige a su hermano.

—Tú también estás loco. Va a provocar una rebelión.

La Kahina no escucha. De pie sobre el peñasco, escruta al ejército reunido a sus pies. Su ejército. Todos los jefes bereberes que le juraron fidelidad forman el primero de los círculos alrededor de ella. Detrás de ellos, los jinetes, empuñando sus lanzas, mantienen inmóviles a los caballos. La reina bereber oye el ruido de sus cascos, que marcan el paso. En último lugar, están los hombres del velo, los sanhadja, que han cruzado los océanos del sur montando sus dromedarios, y los ketama, oriundos de las montañas del norte.

La Kahina da comienzo a la ceremonia con la solemnidad que corresponde. Ordena al sacerdote oficiante que le acerque la pasta de cebada bien amasada. Dios-Yahvé inspira sus palabras. El religioso comprueba que la harina haya sido bien cocida en aceite, la vierte en un cuenco de tierra oscura y se lo tiende. La Kahina toma un puñado blando y sigue amasándola con sus dedos. Luego, separa los pliegues de su *haik* rojo, abierto en el pecho, y unta con ella la punta de su seno derecho. Repite el mismo proceso en su pecho izquierdo, que desnuda con un ademán veloz. Llama a Yazdigan y a Ifran y los invita:

—Vengan a mi pecho. —Ifran retrocede con el rostro descompuesto y esquiva la mirada de su madre—. Ven, Ifran, ven. Está decidido —insiste la Kahina.

Yazdigan ha permanecido en su lugar. Se pregunta si esa adopción no responde a una estrategia para reconciliarse con los árabes. Si no se trata de un gesto a favor de la paz y de la liberación de la tierra bereber, permanentemente amenazada por ese pueblo. Tal vez esté reuniendo en su pecho al enemigo con ansias de conquista y a los dignos habitantes de la Berbería. Es imposible saberlo a ciencia cierta. Su madre, la reina, actúa sola, soberana. Conoce el futuro. Por eso, irritada, con los pechos desnudos y untados con la pasta ritual, ordena:

—Vengan, acérquense. Estamos perdiendo el tiempo. Debemos volver al Aurés luego de la ceremonia.

Sus hijos avanzan sin pronunciar palabra. Khaled espera en su lugar. Entonces, ella toma entre sus manos el rostro altanero del árabe y lo aplasta brutalmente contra su seno derecho. Junta las cabezas de Yazdigan e Ifran en el otro pecho. Luego, simula abrazarlos con un gesto amplio, en señal de que los ha unido. Respira hondo, se endereza y recorre con la mirada toda la asamblea.

—Khaled, eres mi hijo. A partir de este momento, los tres son hermanos —anuncia la Kahina. Ha pronunciado las palabras sacramentales dulcemente, aunque con una voz imponente. Lo necesario como para ser oída hasta por los fieles que conforman las últimas filas y que, por fin, alzan sus cabezas.

—Está hecho —murmura uno de ellos. Y todos blanden sus armas al unísono, reunidos en un mismo grito.

Incluso contranatural, el acto de poder absoluto de su reina coincide con la victoria sobre Hassan. Debían celebrarla como se merece.

4

El "traidor lejano"

$\mathcal{K}$haled alza el faldón de su albornoz. Es una mañana fresca, el sol brilla sobre las hojas plateadas de los olivos. El joven camina y camina. Intenta reflexionar sobre las vueltas de su historia, que han hecho de él otro hombre. El mismo día de la ceremonia, Dihya le había asegurado que era tan libre como un animal salvaje, como un guerrero antes de ser sometido a la esclavitud:

—Puedes volver con los tuyos, si así lo deseas. Te salvé la vida. Pero la vida de nada vale si no eres libre.

No sabía dónde se encontraba su tío, el general Hassan. Las tropas de la Kahina lo persiguieron hasta Tacapas,* al sur de la Bizacena,* y ganaron batalla tras batalla después de la derrota árabe de Oued Nini. Hubiera podido morir decapitado o ahorcado, como tantos otros prisioneros. Pero la suerte —¿o la hechicera?— le había marcado otro camino. Y porque estaba vivo, agradecería a Alá y combatiría a los infieles con todas sus fuerzas y todos los medios a su alcance.

Sin embargo, en sus circunstancias, ¿cómo podía hacerlo? "La vida de nada vale si no eres libre". Esas palabras de la Kahina le parecieron fuera de tiempo y lugar. ¿Es posible creerse libres y construir nuestras propias prisiones? La incertidumbre que le generaba su futuro lo perturbaba tanto como los senos que apenas había rozado con los labios. Él era el hijo. El hijo árabe.

Fue necesario que una tarde ella lo hiciera entrar en su

tienda real y se acercara a él hasta tocarlo. Una sombra verde había oscurecido su mirada.

—Ven —le dijo—, eres tan bello, tan valiente... Y tan joven. Tienes la edad de mis hijos —añadió para sus adentros.

Luego, los senos firmes de esa mujer madura, su piel oscura y suave, y su sexo, tan generoso como su cabellera cobriza, del color de la miel más pura, habían atrapado al árabe. Él intentaba escapar, humillado por la atracción ineluctable que lo ataba al cuerpo del enemigo. Pero las caricias que le prodigaba aniquilaban su resistencia y trastornaban su razón. Se perdía en ella, sobre ella, dentro de ella, y se dejaba poseer por la intensa comunión de sus cuerpos. Aprendió a odiarse a sí mismo, se despreciaba. Se preguntaba en qué momento había sido liberado, si nunca se había sentido tan esclavo, tan ajeno a sí mismo o tan impotente. ¿Y si escapaba?

Sabe que le bastaría montar ese pequeño caballo alazán de andar obstinado, que habían arrebatado a los árabes en el campo de batalla, y que la Kahina le había entregado, como prueba concreta de su libertad.

—Observa su porte, palpa su cabeza, mira qué bello es —le dijo mientras acariciaba la capa del animal.

—*Tiene de gacela las caderas y de avestruz, las piernas. El caminar del lobo y la indolencia del zorrillo* —Khaled le recitó esos versos a Dihya, en uno de esos momentos íntimos, extraños, que suceden antes y después del amor—. Es de Imru al-Qays, el primer poeta árabe —explicó—. Un príncipe maldito, que murió antes de la Hégira.

Dihya sonrió, orgullosa de su joven amante poeta.

—Puedes correr, regresar, no regresar —le dijo con tono de falsa liviandad en la voz.

Khaled regresaba siempre. Regresaría hoy también. Y mañana. ¿Pero hasta cuándo?

Deseaba servir a Alá y tener una participación heroica en la guerra santa que libraba su tío Hassan ibn Noman el-Ghassani en Ifrikiya. Acabar con los bereberes idólatras, cristianos y devotos de Yahvé, el dios judío. Pero Hassan fue vencido y obligado a retroceder hasta Cirenaica. Había obedecido al califa de Damasco, quien le recomendó encarecidamente que no tomara ninguna otra decisión, a la espera, sin lugar a dudas, de un plan de guerra que le permitiera concretar exitosamente la venganza.

Cuando terminó sus estudios, Khaled decidió seguir a Hassan, su tío lejano, y registrar escrupulosamente sus grandes victorias. Él era su sobrino dilecto. Como letrado, función que desarrolló desde su más tierna adolescencia, poseía un estilo que sus propios maestros admiraban. Pronto se puso al servicio de Hassan como escriba. Se consideraba capaz de compartir con él la aventura y la historia.

—¿Sabes cómo llama al Magreb el califa Omar? —le preguntó Hassan, para disuadirlo.

—Sí, señor: el traidor lejano.

—Eres muy joven, Khaled...

—¡Quiero estar a su lado, señor! —suplicó el muchacho—. A usted, Egipto y Arabia lo apodan "el íntegro". Quiero ser testigo del poder de Alá y de sus virtudes, quiero dar cuenta de las victorias de su enviado.

Hassan acabó por ceder y llevó a Khaled a su guerra santa. Cuando invadió Kairuán y Cartago por primera vez, Khaled, a su lado, escribía páginas de gran lirismo y cantaba loas al vencedor, Alá y su profeta Mahoma. El joven destacó siempre la valentía de su maestro, pero también aprendió que sometiendo a las tribus no se vencía a los bereberes. Para ganar esa batalla era necesario conquistar a un pueblo.

Aun prisionero, Khaled seguirá escribiendo la historia de la conquista, para lo cual llevará a cabo una rigurosa investigación. Reunirá los relatos de los narradores bereberes que se suceden unos a otros en las veladas tribales y recuerdan la gloria de sus tribus: Tayri —vidente y prostituta sagrada—, Oum Zamra* —la nodriza de Thabet, el padre de la Kahina—, y Zeineb —la nodriza de la reina— sabían más sobre las gestas heroicas de su gente que los propios guerreros. Ávido de información, Khaled interrogará a los jefes del Estado Mayor, entre ellos, a Sekerdid, el lugarteniente más fiel de la reina. Por último, recopilará los comentarios de la red de espías que él mismo organizó desde su captura.

Con toda esa información procederá a cruzar datos, como él sabe hacerlo, y logrará ofrecerle a Hassan, el día de la victoria, los cuadernos de la epopeya árabe.

5

Khaled, un escriba al servicio de Alá

≈

Khaled había ocultado cuidadosamente, en un rincón de su tienda, los pergaminos en los que escribía.

De tanto en tanto, los releía, hacía aquí y allá algunas correcciones y se dejaba invadir por la nostalgia. Su inactividad contribuía a aumentar su angustia, por lo que pasaba los días junto a los manuscritos: los tocaba, los reordenaba y volvía a leerlos una y otra vez. Así intentaba convencerse de que seguía escribiendo cuando, en realidad, no hacía más que recorrer con la mirada los textos que ya había leído y releído cientos de veces.

Hoy, durante su cabalgata diaria, se entretiene recordando el relato de las grandes hazañas de su tío, el general Hassan, sin la ayuda de ningún documento que le permita refrescar la memoria. Lo intenta, casi como un juego. Y lo logra.

≈

En el año 695, Abd el-Malek, califa de los omeyas, reunió un ejército de cuarenta mil hombres y confió su mando a Hassan ibn Noman, a quien llamaban el-Ghassani. Lo envió en primer lugar a Egipto, donde había estallado el conflicto.

Le ordenó conquistar el Magreb y convertirlo al islam. Hassan estaba dispuesto a hacerlo. Sólo preguntó quién era el jefe de esas tribus nómadas, de esos guerreros de ciudad que ocupaban el país y hacían valer su ley; quién era el príncipe que comandaba a esos ejércitos que mantenían en jaque a su pueblo. Le habían hablado de un general carismático, que ejercía un poder sobrenatural sobre su gente y había logrado reunir a las tribus, un hecho histórico sin precedentes. Eran tribus antagónicas, divididas, famosas por la liviandad con que renegaban de sus creencias. Los cristianos, los idólatras, los devotos de Gurzil o los judíos se convertían a la religión de sus sucesivos conquistadores y pagaban el impuesto correspondiente, sin ofrecer la menor resistencia.

Pero esas tribus habían conformado un pueblo: los bereberes. Un pueblo cuya historia estaba jalonada de imprevistos, un pueblo valiente como ningún otro, tanto en el triunfo como en la derrota.

—¿Pero quién es el príncipe que los guía? —preguntó una vez más Hassan.

—Es una mujer —le respondieron—. La Kahina. Reina en el Aurés sobre todas las tribus. Es bereber y, después de la muerte de Kuceila, *amghar** de los auriba, los branes y toda la resistencia bereber se unieron a ella. Fue la única que logró agruparlos.

Hassan ríe burlonamente. ¡Una mujer!

—¡Acabáramos! ¿A eso se llama vencer? —le había preguntado a Khaled—. ¿No merezco, después de tantas batallas ganadas, un rival a mi altura? —Y repetía—: Una mujer con rango de general. ¡Que Alá no lo permita!

Le advirtieron que esa mujer era adivina, profetizaba y podía predecir el futuro.

El califa había enviado un mensaje confidencial a ese general que se aburría en Egipto. Khaled podía evocar perfectamente cada una de sus palabras: "Tienes vía libre para hacer lo que quieras —escribió a Hassan—. Escoge los tesoros de Egipto que desees y repártelos entre tus compañeros y entre los hombres que quieran unirse a ti. Luego, márchate. Ve a hacer la guerra santa en África, y que la bendición de Dios sea contigo".

⁓

En primer lugar, el general Hassan invadió Kairuán, que no presentó batalla. La noticia de la avanzada de ese ejército, el más poderoso del Magreb, el más ferviente —quería exterminar a los infieles e imponer el reino de Alá—, bastó para hacer huir a los bereberes.

Khaled recordaba, como todos los letrados de la época, la epopeya de la fundación de la ciudad, en el año 670, llevada a cabo por Okba ibn Nafi, en ese entonces gobernador árabe de Ifrikiya, quien la erigió en capital del imperio musulmán. A su ejército, constituido por más de diez mil hombres, Okba había incorporado, junto a sus refuerzos de Oriente, a algunos bereberes convertidos. Atravesó El Djerid, conquistó Capsa* y otros enclaves en los que los cristianos seguían resistiendo. Sanguinario y feroz, Okba perpetró terribles masacres de infieles e instaló el terror. Khaled recuerda que dejó de escribir después de esas conquistas. Quería olvidar las atrocidades cometidas y dedicar páginas enteras a la magnífica Kairuán, embellecida por el genio de un hombre: el mismísimo Okba. Porque el tirano cruel se había convertido en artista. Ambicionaba trascender a través de un proyecto descomunal: la construcción de una ciudad descollante, el centro religioso y político de África.

Él mismo trazó planos grandiosos, imbuido por una fiebre creadora que se había apoderado de él por completo. Quiso llamarla Kairuán o Qayrawan, "plaza de armas" en árabe. Extrajo los materiales de las ruinas romanas de los alrededores. Pero para transformar ese desierto árido en una ciudad prestigiosa, debía acabar con las serpientes y las bestias salvajes que la infestaban.

Pasaron los años. El califa Abd el-Malek derrocó a Okba, aunque más tarde volvió a ganar sus favores, después de padecer grandes humillaciones y calamidades.

Khaled sabía que era inútil buscar una explicación racional a las decisiones del príncipe. Conocía las divisiones de los árabes y la rivalidad de sus clanes. Había enunciado con gran estoicismo todas y cada una de las intrigas palaciegas que tejían y destejían la historia de sus conquistas.

En el año 681, Okba invadió una vez más Kairuán, que había sido devastada por su predecesor, su rival, y emprendió su construcción por venganza y por fanatismo, pero también por amor al arte.

Murió rodeado de gloria en la batalla de Tahuda, en el año 683, a manos del gran jefe bereber Kuceila, el valiente.

Hassan ibn Noman, a quien Khaled admiraba por su prestancia y su rigor moral, lo sucedió en Kairuán. Embelleció magníficamente esa tierra hostil. De los muros de la mezquita derruidos sólo conservó el *mihrab*,* obra de Okba ibn Nafi. Hassan tomó de una iglesia cercana las dos columnas rojas, veteadas con una pátina amarillenta, de una belleza excepcional, y las transportó a la mezquita. Ese día, Khaled escribió: *Cuentan que, antes de que esas columnas se desplazaran, el rey de Constantina había querido comprarlas pagando su peso en oro.* Entonces, Kairuán se convirtió en una capital y, al mismo tiempo, en un bastión de los servidores de Dios.

6

La toma de Cartago

Khaled no exageraba un ápice cuando exaltaba las hazañas de su señor. Había sido su fiel testigo. Tanto de él, como de Alá, el todopoderoso.

El relato de la toma de Cartago, arrebatada a los griegos, ha inspirado sus más bellas páginas. El joven describió en imágenes la huida de los bizantinos cuando la ciudad, su capital en África, fue sitiada por Hassan el-Ghassani con sus cuarenta mil hombres y su gran maquinaria de guerra. La superioridad árabe los aplastó irremediablemente. Eligieron entonces emprender la retirada por mar. Se embarcaron en los navíos anclados en el puerto, por Bab-en-Nisa, "la puerta de las mujeres". Y huyeron hacia las tierras más cercanas, el talón siciliano o España. Las tropas griegas sufrieron una terrible derrota en Satfoura, cerca de Benzert.* Hassan se había ensañado con los roums* y sus aliados bereberes y los había perseguido hasta Vega* e Hippone.* Esta última se convirtió, así, en el punto de encuentro de las tribus bereberes y los cristianos que habían logrado escapar de las masacres perpetradas por los árabes.

Hassan se había deshecho, al mismo tiempo, de las tropas enemigas, de sus familias e incluso —aunque muy a su pesar— de sus tesoros.

Durante esos años, Khaled, prisionero de la reina, continuó recogiendo, aquí y allá, los ecos de los acontecimientos que, dadas las circunstancias, ignoraba. Debía consignar hechos trascendentes, como la quinta expedición árabe a África. Para ello, deambulaba en torno a las tiendas de los grandes jefes, mantenía largas conversaciones con Sekerdid, el primer lugarteniente de la Kahina, y departía con las narradoras del campamento, las antiguas prostitutas, las viejas nodrizas, las viudas de los grandes guerreros, que eran "la memoria viva del pueblo". Nadie desconfiaba: Khaled era el hijo adoptivo de la Kahina y, por lo tanto, un miembro de la familia real con plenos derechos. E incluso más.

Sekerdid, el edecán, un hombre experimentado y maduro, brindaba información confiable y reciente, aunque con moderación. Era el encargado de recibir a los jefes de todas las tribus lejanas. Esos bereberes, en su periplo nómada por Ifrikiya y su derrotero trashumante de verano, no dejaban pasar la oportunidad de rendir tributo a su reina y describirle los lugares recorridos.

A Khaled, embarcado en la guerra santa en nombre de Alá desde su infancia, le gustaba participar en el juego de la política. Evaluar la relación de las fuerzas de combate, imaginar expediciones y, sobre todo, inventar, como en una partida de ajedrez devastadora, maniobras cruzadas y sutiles para obtener, con el menor costo, una victoria contundente. Presumía también de ser historiador y, por lo tanto, dueño de una objetividad absoluta. Una de sus tantas contradicciones.

Había sido testigo de la toma de Cartago en el año 695, liderada por su tío Hassan, pero al caer prisionero algunas semanas más tarde en Oued Nini fue privado de información directa durante meses y años.

Una tarde, en el campamento, los narradores proclamaban, una vez más, la supremacía bereber y los dones sobrenaturales de su reina. Uno de ellos hacía especial hincapié en la extraordinaria victoria de la Kahina sobre Hassan ibn Noman el-Ghassani. Tocado en lo más profundo de su orgullo de creyente, Khaled lo interrumpió:

—Hassan ha realizado milagros militares, como la toma de Cartago, un símbolo del imperio.

—¡Basta ya, querido príncipe! Se acabó el Cartago árabe, se a-ca-bó. Los bizantinos se despertaron —le respondieron.

Sorprendido, Khaled lanzó una mirada furibunda a la adivina Feriel. Era ella quien le había asestado la fatal noticia con una sonrisa irónica y un tono triunfante en la voz, separando cada sílaba.

Así, el general Leoncio, que derrocó a Justiniano II, en el año 695, había recuperado Cartago.

Cuando Hassan se instaló en Cirenaica, descubrió que la ciudad había cambiado de dueño. Se trataba de una derrota inesperada, difícil de digerir para sus estrategas.

En el año 697, con el apoyo de una importante flota que zarpó de Constantinopla, el patricio Juan había sorprendido a la guarnición árabe al desembarcar junto a miles de griegos vengadores, indígenas y aventureros de todas las razas y todos los colores.

Esa coalición heterogénea, bajo el mando del emperador bizantino, ganó la batalla. Khaled debió tragarse su amargura. Pero llegaría la hora en que Alá se vengaría de esos infieles. De eso estaba seguro.

≈

Khaled había probado las mieles del vencedor al lado del estratega el-Ghassani, protagonista de una epopeya cuya valiosa historia escribiría para la posteridad.

Y ahora estaba allí, reducido al rol de joven amante de una reina enemiga, más esclavo en su libertad que el más esclavo de los siervos, traidor entre los traidores a su señor, Hassan, y a Alá.

≈

El joven tropieza con un macizo de zarzas:

—*¡Bismillah!* En el nombre de Dios... —murmura, recuperando el equilibrio. De pronto, una idea le ilumina el rostro—: ¿Traidor? ¡De ningún modo!

¿A quién continuó siendo fiel? Esboza una vaga sonrisa. Ya imagina el nuevo mensaje que le llevará al panadero, espía de Hassan en la Berbería. En su bollo de pan introducirá el delgado papel vitela que, periódicamente, describe el estado de los djeraoua y las defraudadas tribus sobre las que reina la Kahina: los nefusa, los mekzoura,* los mediouna,* todos los botr, así como las pertenecientes a la confederación de los branes, antiguamente a las órdenes de Kuceila.

7

Dihya, la desgracia de nacer mujer

~

*K*haled se alejó por el estrecho sendero que unía la ciudadela con otros campamentos, todos ellos de la tribu de los djeraoua, reunidos en torno a las tiendas de mando.

Dihya lo observa partir. Luego se incorpora, se sacude levemente y se pone un cinto de lana trenzada verde y amarilla alrededor del talle. Frunce el drapeado de su *haik* y se anuda en los pies los cordones de esparto de sus sandalias. Echa una mirada rápida, casi indiferente, al espejo antes de acercarse a él. Saca de un cofre de cedro rectangular un par de pesados aretes de plata engastados en ámbar. Mientras se los coloca, llama a Anella,* su criada, experta en el arte de la preparación de la alheña, quien se la aplica generosamente en el cabello, la palma de las manos y la planta de los pies.

—Ayúdame a vestirme —le ordena—, pero rápido, muy rápido. Debo unirme al Consejo de los Jefes.

Anella obedece: recoge la abundante cabellera cobriza de Dihya y se la sujeta sobre la cabeza.

—Estás peinada como una cretense. He visto una pequeña estatua griega que los guerreros trajeron de Cartago —comenta, al tiempo que besa furtivamente la nuca de su reina—. Te le pareces, ¿sabes?

Dihya no escucha. La amante apasionada, febril, de escasos minutos atrás ya se había convertido en el general en jefe, responsable de la vida de sus hombres y de sus mujeres.

El rumor del regreso de Hassan a Barka cobraba cada

47

vez mayor fuerza. El califa habría ordenado una nueva ofensiva para acabar con todos los bereberes de una vez y para siempre; los djeraoua y los auriba, los botr y los branes. Morir o someterse es un dilema que la reina rechaza de plano. Alcanzará la victoria por la grandeza de sus montañas y de su pueblo.

Mientras Anella parlotea, la Kahina se concentra y termina de prepararse maquinalmente. Se coloca en los tobillos aros de plata cincelada. Quiere ver el futuro; su don de adivina nunca la ha traicionado.

Despide con un gesto a su criada y espera. Sekerdid, su edecán, no tarda en entrar en la tienda real, enorme y altivo. Con un gesto noble, se echa sobre los hombros la capucha de su albornoz. Desde la muerte de su señor, Kuceila, jefe de los branes, Sekerdid se puso al servicio de la Kahina y de la unidad de su gran pueblo. Sigue siendo un hombre apuesto y fuerte a pesar de su edad, piensa Dihya, inclinada sobre un mapa de la región. Ese amante de su juventud, ese amante de siempre, ese testigo fascinado y eterno que permanece inquebrantable a su lado, es quien gira todos los días las páginas del libro de su vida. De sus hazañas, sus fracasos y sus amores. Es la prueba viva de su extraordinario destino, de un periplo a la medida de su belleza, de su don de profecía, de sus talentos como estratega, de su infinita sensualidad...

Sekerdid solía repetirle: "No le debes a nadie tu poder de reina. Gobiernas porque eres única, no porque el derecho o la línea sucesoria así lo hayan impuesto".

La Kahina creía oír a Kuceila, el *amghar* heroico, cuando ella no era más que Dihya. Kuceila, el jefe indiscutible de la otra rama bereber, los branes, que había logrado unir a los botr, la rama de la Kahina. Kuceila y su letanía amorosa cuando vivían juntos. Lo habían asesinado en la batalla de Mems, cinco años después de haber derrotado a los árabes en Tahuda. Allí, la joven Dihya había combatido al lado de su padre. El vínculo entre ambos constituyó el símbolo de la unidad bereber.

Después de la muerte de Kuceila, Sekerdid, a su lado, manifestaba las mismas certezas. En efecto, ¿cómo podía la Kahina conducir a las tribus bereberes, las nómadas y las sedentarias, los djeraoua y los auriba, reinar en el Aurés y sobre Nemencha, de Hodna a Tobna y en la gran Dorsal, vivir como una gran soberana en Thumar,* sobre su acantilado de granito, administrar esas tierras desde lo alto de su nido de águila, si no hubiera sido la elegida de Dios, su adivina? Había derrotado y obligado a Hassan el-Ghassani, el todopoderoso, a emprender la retirada hasta la meseta de Barka, en Cirenaica.

Y, sin embargo, era tan sólo una mujer. Había conocido en carne propia la desgracia de nacer mujer. Todos aquí, Zeineb, su nodriza; Oum Zamra, la de Thabet, su padre; Tayri, la vieja prostituta sagrada, recuerdan la conmoción que produjo su nacimiento.

Tanirt lanzaba alaridos propios de un animal salvaje, tan intensos que podían oírse hasta en los picos más alejados de las montañas. Su esposo, el jefe Thabet, no cabía en sí de gozo: un niño tan vigoroso como su hijo no podía llegar a este mundo sino en medio de un cataclismo, como el que sus antepasados habían vivido en el Tell. Ya hablaba con sus edecanes sobre la futura educación de su vástago. Primero, era necesario convertirlo en un buen jinete; luego, enseñarle a usar las armas —la lanza, el puñal, el venablo— y el arte de organizar el nomadismo de las tribus, la trashumancia en tiempos de paz, el cerco camellero en caso de guerra.

Oum Zamra, que ha alimentado con sus generosos senos a Thabet, no le quita los ojos de encima. Para aliviar la espera, le cuenta la historia de aquel *amazigh,* fiel al dios toro

Gurzil, que había plantado un ídolo en su campo de dátiles. A día siguiente se ocultó con la esperanza de ver cómo la divinidad hacía llover frutos del cielo sobre sus tierras, en señal de abundancia. Pero eso nunca sucedió.

Todos estallan en carcajadas.

—Yahvé es nuestro único Dios —recuerda Thabet.

—Sí, pero ¿puede sacudir nuestras palmeras con la promesa de una cosecha que nunca llegará? Hay que darle una novia a Anzar —insiste obstinadamente Oum Zamra—. Anzar, la lluvia, debe fecundarnos. Mañana, vestiré a su prometida.

La vieja *tamghart** piensa en las telas con que cubrirá a la muñeca de madera. Ya ha elegido para los brazos las dos cucharas que recibirán las primeras gotas y un viejo collar de aspecto egipcio, que le prestará para la ocasión. ¡Anzar no podrá resistirse ante tamaño despliegue de seducción!

Por medio de ese ritual, se intenta generar una transformación.

—Con el *yennayer,** cuántas máscaras, cuántos juegos burlescos, en torno al *seksou** y al pollo sobre la mesa servida.

Oum Zamra recuerda las fiestas de la tierra que celebrará con orgullo: el *anisan** para fortalecer al ganado en caso de sequía, luego las fiestas de los solsticios de verano, las de los grandes calores contra la canícula:

—Para proteger nuestra salud, todos los recursos son buenos: las abluciones, los baños, las aspersiones —parlotea sin cesar la vieja nodriza—. ¿Te acuerdas, Thabet, de esas extraordinarias acrobacias, de las fanfarrias que siempre acompañan a la siembra? —La mujer considera importante que un pueblo rinda homenaje a la naturaleza.

—¿Por qué no te callas, Oum Zamra? —exclama Thabet, sin poder contener los nervios. Las horas pasaban y no había noticias. Muy cerca de ellos, Tanirt estaba dando a luz a su hijo—. ¡Entra a ver qué sucede y vuelve a contarnos!

Mientras esperaba a su heredero, el jefe tribal se sentía como suspendido en el tiempo, en vilo y desorientado. Tener a su nodriza cerca lo hacía sentir bien. Ella lo percibía, por eso se negó a alejarse de su lado.

Un grito interminable, agudo, luego entrecortado, como el jadeo de un perro, interrumpe la verborragia habitual de Oum Zamra, quien se pone de pie, oye el ruido que se alza desde las tiendas hasta el castillo y corre en esa dirección. Thabet permanece inmóvil. Durante diez minutos, que le parecieron un siglo, espera el regreso de la informante.

Oum Zamra vuelve, por fin, de la ciudadela: ha abrazado a Tanirt y ha sostenido a la criatura en brazos. Se acerca a Thabet y le susurra:

—Eres el feliz padre de una niña. Tanirt, tu esposa, está bien —y agrega, luego de un breve silencio—: La próxima vez tendrás un varón.

Thabet aún permanece inmóvil. Se ha limitado a cruzar los faldones de su largo albornoz blanco. Paralizado, con sus grandes ojos verdes fijos en algún punto ante él, aún no alcanza a comprender la magnitud de la maldición que ha caído sobre su persona. Tanirt lo ha marcado con el sello de la impotencia. Al parir a una niña, lo priva de descendencia. Una niña no es nada. Ni una heredera, ni una jefa tribal. Su cabeza será siempre un recipiente vacío, agujereado por todas partes.

¿Deberá tener una concubina? ¿Deberá repudiar a la madre?

Aunque su señor no ha dicho una palabra, la nodriza ya ha oído ese discurso funesto, como si lo hubiera escrito ella misma. Y también el de los notables que se sucederán en la fortaleza de Thumar: "¿Cuándo te hará padre Tanirt? ¿Cuándo tendrá un heredero el jefe de los djeraoua?". Esas serán las palabras que pronunciarán todos, los caravaneros, los cortesanos y los jefes de las ciudades.

En medio de la indiferencia general, llamaron Dihya a la hija de Thabet y de Tanirt. Nadie fue capaz de imaginar hasta qué punto haría honor al significado de su nombre, "la bella", en bereber, *tacheldit*. Ni que su belleza y sus poderes serían sobrenaturales.

Dihya creció. Los miembros de la tribu parecían ignorar su existencia: nadie la miraba ni le hablaba. Hubieran preferido que no naciera. De niña, lloraba pidiendo a Dios que la convirtiera en varón con un golpe de varita mágica.

—Pero Yahvé no es mago, mi hermosa —le dijo Zeineb, su nodriza. La tomó entre sus brazos y la acunó, mientras le explicaba—: Eres una niña, es verdad, pero el pueblo judío muchas veces ha sido guiado por mujeres, ¿sabes? Judith o Débora, por ejemplo.

Y le contó las hazañas de Débora, tal como aparecían en los relatos bíblicos.

—Judith, la más bella entre las bellas, como tú, mi princesa —la nodriza interrumpió sus palabras para alisarle los largos cabellos de seda y acariciarle el óvalo del rostro—. Sí, serás una gran seductora, una viuda muy astuta. —La boca de Dihya se tensó en un rictus displicente. La astucia no era su fuerte—. Holofernes, general del tirano Nabucodonosor, rey de los caldeos, había cortado el agua que alimentaba a Betulia. "Quiero hacer algo por lo que me recuerden para siempre", le dijo Judith al consejo de ancianos reunido ante la emergencia de la situación. Los viejos, condescendientes, le sugirieron que se conformara con rezar. Pero Judith ingresó en el campo enemigo. Durante tres días y tres noches, embrujó a Holofernes.

Dihya se puso de pie.

—¿Y qué pasó entonces? —le preguntó a la nodriza.

—Lo volvió loco de amor. Le ofreció vino hasta emborracharlo. Y cuando ebrio de vino y de deseo se acercó a Judith, ella le cortó la cabeza —le respondió.

Dihya permaneció inmóvil.

—Y los judíos derrotaron a los asirios, que huyeron despavoridos —siguió la nodriza.

Dihya soñaba. Así, una mujer condujo a su pueblo a la victoria contra un enemigo más poderoso. Una mujer, ella, pronto.

8

La niña rebelde convertida en cheikha

$\mathcal{M}$ientras tanto, Tanirt quería inculcar en su hija adolescente las nociones básicas para hacer de ella una mujer y una futura esposa con todas las letras. Ayudada por Zeineb, decidió enseñarle a coser y a tejer. Habiendo nacido en el Aurés, se veía en la obligación de instruirla en el manejo del huso y del telar, la primera de las obligaciones femeninas. ¿Qué diría el *amazigh* que la tomara por esposa, si descubría su ignorancia para trabajar la lana? Podría tener un buen motivo para repudiarla. Tanirt se estremecía con sólo pensarlo. ¿Y el arte de elaborar el *seksou*? Todas las tradiciones coinciden en que una joven bereber sólo estaba lista para casarse si sus manos adquirían la habilidad —y la paciencia— necesaria para preparar la sémola. Pero Dihya no quería entender razones. Poco le importaba su futuro como esposa. Sólo deseaba participar de las cacerías y lanzar jabalinas en el bosque. Enfrentaba a su madre, montaba en cólera, se acurrucaba en un rincón de la tienda y se negaba a comer. Zeineb la perseguía obstinadamente, aterrada con la idea de que Dihya pudiera morir de inanición.

—Mi pimpollo, hazlo por mí, tienes que alimentarte —le decía. Pero el pimpollo tenía sus espinas y volcaba el plato con pasteles de miel y la infusión de menta, cuyo penetrante aroma invadía toda la tienda—. Lo hice para ti —gemía la nodriza.

La rebelde se mantenía firme en sus convicciones. Hasta que su padre cedió, y la autorizó a tirar con arco y a montar en pelo a su pequeño alazán, que acariciaba con devoción todas las mañanas. En resumidas cuentas, a vivir como el muchacho que Dihya ya era desde que acompañaba a su padre en las travesías por el Aurés.

Su madre intentaba enseñarle también el arte de vivir con un hombre, su amo y señor. El arte de comprometer, de seducir, de manipular, de ceder y de volver a empezar. En fin, el arte de hacer de la fatal debilidad de la mujer una fuerza misteriosa.

Dihya se burlaba, se aburría y corría hacia Oum Zamra:

—Cuéntame la historia de nuestras tribus. ¿Quién es más poderoso que mi padre? ¿El *amghar* de los djeraoua?

La vieja emprendía, entonces, la difícil clasificación de ese mundo salvaje e indomable: los bereberes.

—Nosotros, los *imazighen*...

—¿Somos *imazighen*? —interrumpió Dihya.

—Sí. *Imazighen*, en nuestra lengua y nuestras costumbres, significa hombres nobles, hombres libres —prosiguió la nodriza.

—¿Y las mujeres no? —preguntó Dihya.

Oum Zamra negó con la cabeza.

—No, las mujeres no, pero tú eres diferente, ya verás. Los *imazighen* gobiernan sobre estas tierras montañosas, los montes del Aurés, que se extienden desde el Tell hasta el Sahara, sobre las ciudades de Capsa y de Thugga, sobre los reinos de Nemencha y de Hodna. Tu padre, Thabet, hijo de Enfak, desciende de los botr y de los zenetas. Los djeraoua somos nómadas, no reconocemos los vínculos que generan las ciudades. El gran Kuceila, jefe de los branes, construye aldeas y reina sobre tribus sedentarias, como los auriba.

La joven quería saber si Kuceila tenía poder sobre su padre. Si era fuerte y apuesto como contaba la nodriza y si la ley que unía a los clanes era esa solidaridad tribal que instauraba la igualdad.

—Tu padre y Kuceila, mi princesa, son los jefes de nuestras familias. Los veneramos, les debemos obediencia.

Dihya recordaba todavía su primera cabalgata adolescente, encabezando la caravana, al lado de su padre. Montada sobre ese caballo, altiva, elegante, ya hermosa, se sentía rehabilitada. Parecía un joven jefe *amazigh*, un hombre. Ya nadie decía: "Dihya, no eres más que una mujer *tamazigh*".* Esa vez, fue ella quien guió a su clan en el descenso hacia las praderas. Toda la tribu emigró. La joven dejó atrás la cumbre donde se alzaban la fortaleza de Thumar y los campamentos, para dirigirse a los oasis colmados de dátiles y a los campos de olivos fértiles, plantados por los antepasados.

Los caballos, el ganado, las mujeres y los hombres seguían a la jovencita, que les indicaba, con autoridad, el camino. Ya era su guía indiscutida. Ya asomaba ese poder que consolidaría la unión de las tribus nómadas y sedentarias, aún divididas. Ya se vislumbraban sus dotes de *cheikha** todopoderosa.

Cuando Sekerdid, acompañado por tres jefes militares, se reúne con la Kahina, una imagen cruza por su mente: la hermosa Dihya, tan joven, con sus cabellos como un aura de luz sobre sus hombros y su porte de reina.

—Siempre tan bella —pronunció, casi en un susurro. La Kahina tomó sus palabras como un gesto de confianza fuera de lugar: estaban reunidos con el fin de establecer el próximo plan de combate contra Hassan. Con un movimiento impaciente le ordena que se siente, mientras lo observa con atención. Descubre que el tiempo le ha otorgado la figura y la dignidad de un gran señor. Recuerda aquel atardecer, después de la muerte de Kuceila, cuando Sekerdid entró en su tienda. Desde ese momento, siempre volvieron a encontrarse, en la víspera de una batalla o en la pompa glamorosa de una noche de pasión en la cima de las montañas. Pero la Kahina, a merced de los deseos de su cuerpo, solía preferir a otros amantes. Poco le importaba a Sekerdid: aunque lo que recibiera fuera una limosna, en nombre de una fidelidad vital, no podía evitar esos encuentros, que se tornaron, con el tiempo, cada vez menos frecuentes.

La Kahina preside el consejo de guerra.

—Como un hombre, mejor que un hombre —dice para sus adentros Izemrasen,* el poderoso jefe de una tribu nómada, aliado incondicional de la unidad bereber.

—Sólo ella puede desterrar al invasor árabe de nuestras montañas —murmura otro jefe al oído de su vecino.

Unos años antes, después de la muerte de Kuceila en la batalla de Mems, ambos encabezaron el movimiento que llegó a consagrarla reina del Aurés. Dada la urgencia de las circunstancias, convocaron a la asamblea de los dieciséis para los bereberes sedentarios y la correspondiente a las tribus nómadas. El consejo sólo sesionaba en casos de fuerza mayor. La amenaza árabe lo era y requería inmediatamente un conductor, una decisión y una estrategia.

La confederación tribal eligió a una mujer, la Kahina.

Los fieles recordaban la codicia de algunos nómadas que exigían dinero para adherirse a la unificación del pueblo y la deslealtad de otros, que amenazaban con desertar para instalarse en la costa, en Hippone o en algún asentamiento del oeste del país.

Los árabes iban a invadir la Bizacena. Así pues, era necesario anticiparse a Hassan e impedirle el paso.

La Kahina decidió reunir a todas las tribus, las nómadas y las sedentarias, las de las montañas y las de las costas: las que creían en el cielo cristiano, las que sólo creían en Yahvé, dios de los judíos, y las que aún adoraban a los ídolos. La Kahina quería compartir con ellos ese don divino que le permitía predecir las batallas, su vida, e incluso su muerte.

9
La boda de Dihya

Los zenetas, la rama bereber a la que pertenecía la tribu de los djeraoua, estaban preocupados. Por más grande y bella que fuera su Kahina, era sólo una mujer. Necesitaban un jefe, un *amghar*, el sucesor de Kuceila y de Thabet, héroes muertos en combate contra el invasor árabe. Su tribu reclamaba un hombre, y Dihya debía casarse para brindarles uno. De lo contrario, irían a buscarlo a otra parte.

Dihya sabía que, para la mujer, el matrimonio era una trampa: se convertía en la sierva, la esclava del hombre, en su animal reproductor.

—Es mejor la prostitución —se atrevió a decirle a Zeineb, su nodriza, un día, cuando aún era una adolescente—. La vejez —argumentaba— convierte a la prostituta en vidente, un personaje sagrado, mientras que la mujer se desdibuja y deja de existir, es casi un elemento descartable del que el hombre puede deshacerse fácilmente.

Sin embargo, Dihya sabía que su matrimonio era una decisión política. Qué importaba, entonces, la persona, el marido. Daba igual si era viejo, incapaz, corrupto, si era incluso un tirano. En todo caso, se las arreglaría para deshacerse de él lo antes posible. Dado que la elección entre el matrimonio o la nada influía en el destino de una mujer, se casaría. Luego, actuaría en consecuencia.

Aceptó en matrimonio a Aberkan, un pretendiente que había sido vasallo de su abuelo Enfak y luego de su padre,

Thabet. ¿Por qué él, un hombre mayor, a quien le interesaba el oro de la tribu y ejercer un poder absoluto sobre los suyos? Fue elegido por un consejo de familia y de notables, dado que los padres de Dihya habían muerto. Ella sólo sentía indiferencia con respecto a esa unión tradicional que los oráculos predecían corta y tumultuosa. Entonces, daba igual Aberkan o cualquier otro.

Ese día, Aberkan se dirige con su caravana hacia la fortaleza de Thumar, donde se desarrollará la ceremonia de su boda con Dihya, la rebelde. El prometido monta sin la menor elegancia un magnífico caballo bereber, de grupa estilizada y cuello corto. Desafiando el exceso de peso —el suyo y el de un cofre repleto de joyas—, Aberkan mantiene el equilibrio. Los caballos de esa raza sobresalen en todos los territorios, tanto en los senderos de cabras como en los estrechos caminos rocosos. Se oyen los cascos, duros y pequeños, del séquito de Aberkan, que golpean acompasadamente contra el suelo. El aire huele a brezo y a helecho real. La caravana se deslizará entre los alcornoques y, más arriba, respirará la grandeza de los cedros centenarios.

A Aberkan eso no le importa: piensa en el reino que le tocará en suerte y en la mujer que someterá a su autoridad.

Le han dicho que es bella como el cielo de una noche en el desierto, excelente jinete y experta en el manejo del venablo, la lanza y el arco, que posee talentos sobrenaturales. Había desenmascarado a sus espías en público, cuando nada hacía suponer su existencia, y predecía el futuro de su pueblo y su propio destino, indisociable de la causa bereber. No había secretos del alma ni misterios del corazón que no pudiera desentrañar gracias a su inteligencia y su sagacidad. ¿Cómo había alcanzado un poder semejante en el seno mismo de las tribus bereberes? Aberkan no se preocupaba demasiado por ello, pues estaba a punto de convertirse en su amo y señor. Sólo recordaba lo que uno de sus antiguos compañeros, Asmun,* le había contado.

Decían que un consejo de tribus *imazighen* había elegido a Dihya como jefa de la confederación tribal. Pero era sólo un rumor. A la muerte de Thabet, su padre, y a raíz de sus cualidades sobrenaturales, asumió la conducción de su tribu judía y noble, los djeraoua, hacia el año 683, precisó Asmun. Luego sucedió a Kuceila, muerto en la batalla de Mems unos cinco años después, y fue coronada reina de toda la confederación bereber, los zenetas y los branes, los nómadas y los sedentarios.

—En realidad —concluyó Asmun—, un verdadero misterio rodea su historia. Sin su influencia personal y su clarividencia profética, nada de eso la hubiera convertido en la reina Kahina, dueña de un magnetismo que todos los clanes reconocen. Hasta los bizantinos, siguiendo el ejemplo del resto de los bereberes, aceptaron su protección.

Pero Aberkan apenas escuchaba, alzaba los hombros, y no creía en ese carisma sobrenatural.

Como marido, sólo le parecían importantes la belleza y la sensualidad legendarias de su futura esposa. Después, como todas las mujeres, debería limitarse a obedecer.

Sus amigos lo acompañan montados en briosos caballos, seguidos por unos cuantos asnos y mulas cargados con los pesados obsequios de boda. El peso de los tapices, de las joyas de plata —pulseras recamadas en coral rojo para los tobillos y las muñecas, collares y grandes fíbulas para sujetar las prendas—, de las pieles de cabra lustradas para echar sobre el suelo de las nuevas tiendas y de todos esos tesoros acumulados en los cofres cincelados o sujetos a la grupa de los animales aminoraba el paso de la caravana.

Aberkan acaba de divisar Thumar a lo lejos, ese nido de águilas en el Aurés, que se había convertido en el cuartel general de toda la Berbería. El bloque compacto y oscuro de la fortaleza parecía suspendido de las crestas de cuarzo azul de la montaña. La silueta se destaca sobre un fondo de sombras, resplandeciente. Un sendero —el más grande—, como un manantial de gruta, flanqueado por una hilera doble de antorchas gigantes, despliega sus meandros en la ciudadela partida en dos. Es de noche. Noche de luz roja y reflejo azul de piedras. La caravana había dejado atrás el valle en las primeras horas de la madrugada. "Aquí estamos —murmura—, en la guarida de esta hija de reyes que será mi mujer mañana". Aberkan ya se imagina rey. Sus campos de olivos, sus bosques de roble y el oro acumulado —y el que aún falta acumular— lo convertirán en el señor de los zenetas y el amo de los djeraoua, el sucesor del antepasado bereber Madghis. Dicen que Dihya es maga, pero él sólo cree en la brujería. Y sabe cómo acabar con una bruja, sobre todo, a través del matrimonio.

Se detiene a la entrada de Thumar y le hace un gesto a la escolta. Bebe ávidamente de la vasija de tierra rosa que le tiende un servidor, mientras aguarda la señal.

Desde hacía varios días, las mujeres del entorno de Dihya se habían dispersado alrededor de las tiendas, en cortejos cruzados. Lanzando *youyous* guturales y gritos agudos, anunciaban que iban de una casa a otra a cenar entre mujeres. Lucían sus mejores galas: túnicas azules bordadas en oro, *haiks* rayados de vivos colores y grandes velos de seda sujetos con alfileres de plata.

Algunas jóvenes armaron rondas para bailar. Vestían largas camisas rojas con mangas. Al ritmo de sus cantos estridentes, pedían la bendición del cielo y giraban en la ronda de la fecundidad, agitando los brazos y los tobillos ceñidos con pesados anillos de plata.

Por su parte, la novia y sus amigos festejaban del mismo modo, inmersos en un baile sin fin. Antes, en un largo desfile, habían depositado ante Dihya los canastos y los cofres que contenían los obsequios de su dote.

≈⟩

El matrimonio forma parte de la vida de la tribu y de la memoria de sus antepasados. Dihya lo sabe. El suyo se llevaría a cabo cuando las hojas cayeran, como indica la tradición, y debería contar con el aval de la tierra. Ese otoño, los *guelaat** guardarán el trigo de todo el pueblo. El rito es simbólico: la mujer se casa con la naturaleza antes de pertenecer al marido, después de cosechar higos y almacenar el trigo, para continuar la cadena de la fertilidad.

Pero es necesario cumplir con todos los ritos de la ceremonia judía de los djeraoua.

—Primero, el peinado, hermosa mía, luego el baño, el tatuaje del rostro y la tintura con alheña —explicaba Zeineb, presa de gran excitación. Como Dihya manifestaba cierta impaciencia, la vieja nodriza le repetía—: Debes respetar la tradición de nuestros ancestros, princesa.

La Kahina aceptaba las reglas sólo porque había jurado fidelidad a Madghis, el antepasado de los botr, no como un acto de entrega a su futuro marido. Debía dar el ejemplo.

—No, no me hagas tres trenzas. Con dos alcanza —exclamó Dihya.

Resignada, Anella, la criada, desenredó la magnífica cabellera de la Kahina, luego la separó en dos gruesos mechones. La alheña de la víspera le había otorgado un brillo cobrizo que despertaba todos los sentidos. Veloz, antes de que su ama pudiera prohibírselo, dejó caer algunos cabellos sobre su frente y los recortó a modo de flequillo.

La Kahina brillaba, dueña de una belleza singular y perturbadora. Anella la contempló en silencio. Luego se acercó, su rostro rozó el de su señora y sus labios se tocaron. Con un gesto fugaz, la Kahina acarició los senos de su criada, que se marchó esbozando una sonrisa cómplice.

Unos días después, Dihya, acompañada de su nodriza y algunas mujeres provenientes de las tiendas instaladas en la base de la fortaleza, debe someterse al ritual del baño.

—¡No me dejaron ni un solo pelo! —exclamó.

El rigor obsesivo con que las matronas la depilan por completo —incluso el sexo— la hace sonreír. Era mujer y madre, y sabía lo sensual que podía resultar el vello. ¡Aunque pensaba dedicarle muy poco tiempo al amor con el detestable Aberkan!

Se sumerge en la tina de agua caliente. Su cuerpo perfecto, desnudo, untado con un aceite perfumado, parece el de una diosa del Olimpo. A pesar de su avanzada edad —sus senos habían alimentado al padre de Dihya, Thabet, hijo de Enfak—, Oum Zamra repasa los tatuajes. Aún recuerda la decisión indeclinable de Dihya. Tanirt, su madre, había ordenado que le grabaran los símbolos del hogar: las agujas de tejer, un peine para cardar lana y una zaranda para tamizar el *seksou*. Su destino de mujer, en resumidas cuentas. Pero Dihya sólo aceptó símbolos de libertad y de plenitud. Como la mano con los cinco dedos separados, la *khamsa*,* o un pájaro, símbolo de la libertad. Entre los senos, un sol. Y en el hombro un pez de escamas redondas riéndose de un león. Y nada, sobre todo nada que pudiera recordar las tareas atávicas de la mujer en el hogar. Tanirt cedió, a tal punto que su propia hija, aún niña, pudo elegir a la matrona, una consumada maestra en el arte del tatuaje. Dando muestras acabadas de un valor ejemplar, se prestó voluntariamente a la dolorosa operación.

Mientras le punzaban la piel, Dihya, con la mirada fija en un punto misterioso, permanecía inmóvil. Ni un grito, ni un gemido, ni un sonido escaparon de sus labios. Sólo una gran palidez denotaba su sufrimiento.

—Para tu boda, hay que tatuar tu hermoso rostro, gacela mía —le dice la anciana. Con un dedo señala el trazado del tatuaje mágico—. Una línea recta en el medio del rostro, desde la frente hasta el mentón, es el método más seguro de atrapar para siempre a un hombre que posea una virilidad eterna.

Dihya estalla en sonoras carcajadas.

—No, no quiero, no lo necesito… —De pronto, su mirada se oscurece y susurra—: No, no tengo ganas.

Pero como un desafío, acaba por aceptarlo, aunque sabe perfectamente cómo atar a un hombre a su cuerpo y hacerle perder los sentidos. Entonces, esos tatuajes… Luego tiende a su criada, la bien llamada Anella —pues lleva el nombre de la planta de la alheña—, las palmas de las manos y las plantas de los pies. Anella cubre la piel nacarada con la pasta verde que ha molido en una copa de plata.

—Así ahuyentas el mal de ojo, mi reina —masculla la joven. La reina sonríe; también sabe cómo protegerse de ese maleficio por otros medios.

Al día siguiente le anuncian que deberá participar con las mujeres en la ceremonia del *azmumeg*. El *azmumeg* reaviva el amor, asegura la fertilidad y la prosperidad de los jóvenes esposos. Se rompen huevos, se comen dátiles y otros frutos, se juega con la alheña y se canta.

—¡Pero esto no acaba nunca! —protesta Dihya, impaciente—. Todos saben que no soy la virgen que suponen estos rituales.

—Luz de mis ojos —replica la vieja Oum Zamra—, cálmate. Hay que respetar a nuestros antepasados. Y luego, la boda. Ten paciencia, luz de mis ojos.

A sabiendas, la vieja Oum Zamra, dispuesta a todo para cumplir con el ritual djeraoua, repite "Luz de mis ojos". Dihya no puede soportarlo, se rinde. Así fue como la había llamado Thabet, su padre, el día que lo acompañó por primera vez a una cacería. En aquella ocasión, sus palabras la transformaron; había logrado ser casi tan importante para él como un hijo varón.

Al día siguiente, cada vez más fastidiada, la Kahina se viste con su túnica roja de mangas largas, tejida con lana fina, y se calza las sandalias doradas enviadas por su esposo, entre otros veinte pares. Tiende su rostro a Zeineb. El kohl destaca y acentúa la luz esmeralda de sus ojos; un polvo rojo le enciende las mejillas siempre pálidas. La reina del Aurés es la mujer más bella. A su alrededor, las criadas intercambian opiniones sobre los métodos para retener a un hombre, alejarlo, traicionarlo y recuperarlo. Dihya, que ha escuchado todo, se irrita. ¡El hombre, siempre el hombre! El hombre como objetivo, como centro, como dueño, como horizonte o destino. ¿La mujer sólo existe según el valor que él le otorgue?

Aberkan está frente a los muros de Thumar. Los cantos, los *youyous* y los gritos han anunciado su llegada. Se instala bajo el dosel de la tienda conyugal. Fue la Kahina quien eligió esa tienda, con sus cintas multicolores, amoblada con cofres de cedro y bancos de piedra blanca, decorada con vasijas de barro.

—No respetas la tradición bereber, mi pequeña Dihya —sostuvo Oum Zamra—. Eres tú quien debe marcharse del hogar paterno, y a Aberkan le corresponde recibirte en su tribu.

Ella podía predecir el futuro de su pueblo y debía conducirlo hacia su destino final. ¿Cómo podía aceptar esa tradición que implicaba un cambio social y que alteraba el poder? La mujer a la que sus dones proféticos investían con una autoridad suprema no iba a marcharse de su casa para abdicar simbólicamente ante el dueño de otra casa.

—Ya basta —interrumpió Dihya—. Estoy atada aquí, a ti, a los otros. Sé que si transfiriera mi poder a mi marido traicionaría los dones con los que Dios-Yahvé me ha bendecido.

El futuro marido no hizo de esta decisión un *casus belli*.

"Que ella siga consultando a sus demonios. Mientras tanto, yo administraré su riqueza", pensaba para sus adentros Aberkan.

El sacerdote casó a Dihya, hija de Thabet, hijo de Enfak, con Aberkan, el negro, hijo de Amri, hijo de Izil, el sublime. Y ese día la Kahina supo que Aberkan iba a morir y que correría sangre.

Liberada, quiso ser libre. Definitivamente libre. Una tarde, mientras Aberkan dormía, le cortó la cabeza. Luego, comunicó lo sucedido a su tribu con suma tranquilidad.

Todos lo habían visto ebrio, vaciando los odres de vino guardados bajo la tienda, vacilante, incapaz de sostener su rango. En sus raptos de violencia, perseguía a la Kahina para golpearla. Incluso, había intentado encerrarla después de una terrible pelea, soldando con cuidado las rocas que cubrían la entrada de la prisión adonde la condujo con engaños. Ella, la hechicera, había logrado separar, sin tocarlos, los bloques de piedra rojos y pardos que la apartaban de su pueblo, de sus montañas y del viento. Era necesaria la fuerza de Hércules para llevar a cabo semejante hazaña. Nadie entendía cómo lo había logrado. A partir de entonces, todos se inclinaron con mayor respeto ante ella cuando predecía el futuro.

Muy pronto, Dihya comprendió que su marido ejercía el derecho de pernada sobre todas las jóvenes vírgenes y las mujeres que se hallaban bajo su autoridad. Esas mujeres que iban y venían libremente, luciendo sus vestidos de colores intensos, que tejían las cintas de tela para las tiendas, que debían, para armarlas —esa era su función—, delimitar los espacios, plantar las estacas en la tierra y tensar el tejido, esas mujeres definitivamente esenciales para el nomadismo de las tribus eran asediadas por Aberkan el tirano. Las perseguía, las amenazaba cuando bajaban a recolectar los dátiles que los hombres cortaban de las palmeras y cuando curtían los cueros para fabricar los odres, incluso mientras cocinaban para toda la tribu. Los hombres tenían miedo, se callaban y apretaban los puños impotentes porque era Aberkan, el esposo de la mujer que había sucedido a Thabet, su bienamado jefe, y conducía a los djeraoua. El tirano los desafiaba también en los vallados de ramas de azufaifos, que construían con sus compañeros para encerrar el ganado.

Dihya ya no podía soportar el comportamiento de su esposo, a quien detestaba por su cobardía. Luego de escuchar las quejas de su tribu, una furia ciega la invadía. Los hombres y las mujeres le pedían que interviniera, que les devolviera sus derechos y les brindara la protección que les había prometido. Entonces, una tarde, la Kahina decidió obrar en consecuencia.

Esa tarde fue la Judith de sus recuerdos de infancia. La Judith bíblica, liberadora.

Después de la muerte de Aberkan, las mujeres, las esposas de los jinetes, siempre al lado de sus hombres, sintieron orgullo y alivio.

—Se hizo justicia —decían, con una especie de temor divino. Ya no golpean, no humillan, no encierran a Dihya, la adivina. Ser su marido no significaba ser su amo y señor. Sólo Yahvé, su Dios, podía pretenderlo. Y aun así, nadie sabía a ciencia cierta si la Kahina realmente acataba sus órdenes.

10

La masacre de los infieles

Como un escriba ejemplar, Khaled había registrado, día tras día, absolutamente todo: las deserciones, las defecciones y las traiciones. Aunque escasas al principio —sin duda, la Kahina era la más grande, la adivina que conocía el destino de todos—, pronto fueron multiplicándose.

Por la tarde, los amantes se reencontraban. Khaled contemplaba a Dihya en silencio. La traicionaba. Pero se hundía en su cuerpo, lozano como un desafío al paso del tiempo. Sabía que era un renegado y, también, que estaba atado a ella. Nunca sería su amo. Ningún hombre podría serlo. Aberkan, el negro bereber, su marido, lo había intentado del peor modo posible, por la fuerza, y ella terminó por decapitarlo.

Cierto era que necesitaba a Khaled. Como su última tregua. Como el manantial que bañaba su cuerpo antes de perderse en los desiertos irreversibles: la vejez, la muerte. Primitiva y sensual, se entregaba al placer con Khaled durante una hora. Toda una eternidad. Luego se cubría rápidamente con su túnica y se levantaba para predecir el futuro.

—He unido el desierto y las costas, a los sedentarios y a los nómadas. Soy la reina de los djeraoua, los zenetas, los botr y los sanhadja —le advertía—: Nunca lo olvides. Voy a guiarlos hasta la victoria.

Rechazando con ternura a Khaled, hablaba entonces como *cheikha* suprema del país y de los hombres.

Como un camaleón, la Kahina cambiaba siempre de piel

y de función. Khaled fue testigo de esa metamorfosis todos los días y todas las noches. Ella alimentaba su pasión —porque la pasión necesita sobresaltos, sorpresas, crisis...— y su odio. Él acabaría con la hechicera que impedía la guerra santa. Y también será capaz de borrar a la otra —a la mujer que yace entre sus brazos— de su cuerpo y de su mente.

Khaled había escrito y escribe aún. A pedido de su tío, Hassan el-Ghassani, había registrado la historia de su guerra santa en Ifrikiya, después de la muerte del profeta Mahoma, en el año 632.

Diez años después, los árabes tomaron posesión de la Cirenaica. Pronto ocuparon Trípoli y alcanzaron las llanuras de la Bizacena. El quinto califa Mu'awiya fundó la dinastía omeya, en Damasco, en el año 661. Pero el emperador Constantino IV quiso hacer frente a los árabes, mientras que una nueva expedición de Okba ibn Nafi permitía su avance.

Los bereberes entraron mediante la violencia en ese capítulo de la historia de Ifrikiya. Durante la dominación romana, adoptaron la religión de sus conquistadores, el cristianismo; y pagaban regularmente el impuesto. Como se lo habían pagado a Heraclius, emperador de Oriente. Pero el poder de los roums comenzaba a declinar.

Era necesario cumplir este pasaje del Corán: *Y dijo Nuh: ¡Señor mío! No dejes en pie sobre la Tierra ningún hogar de incrédulos. Pues si los dejas, extraviarán a Tus siervos y no engendrarán sino libertinos e incrédulos.*

Significaba la masacre de todos los infieles. Así se llevó a cabo la conquista de Ifrikiya y del Magreb el-Acsa desde la Tripolitana, en el año 670.

Ese mismo año, el general árabe Okba ibn Nafi tomó Ifrikiya, donde instauró el Imperio Árabe. Fundó Kairuán y decidió convertirlo en el centro religioso y político de la región.

Los bereberes, comandados por el príncipe Kuceila, jefe indiscutido de la gran tribu de los auriba, intentaron detener la invasión islámica. Pero fueron derrotados y Kuceila acabó prisionero. Tiempo después, Okba regresó, esta vez decidido a penetrar en el Aurés. Había jurado vencer la resistencia de los zenetas, aliados de los griegos y defensores a ultranza de su independencia. El árabe obtuvo unas cuantas —aunque efímeras— victorias. Sin embargo, el espíritu inquieto y la habilidad de los bereberes lo obligaron a perseguirlos hasta Ceuta, e incluso hasta el océano. Cuentan que Okba entró con su caballo en las aguas y puso a Dios por testigo de su hazaña: "Cumplí mi promesa. Ya no quedan enemigos de Mahoma, nuestro profeta". Se trataba de una conclusión por demás prematura para quien conocía las montañas del Aurés y la tenaz resistencia de las tribus bereberes que se refugiaban en ese lugar.

Sin embargo, Okba creía haberlas sometido para siempre. Al retomar su marcha hacia el este, se despidió de sus tropas, a las que envió de regreso a Kairuán. Sólo partió con unos pocos soldados, lo que resultó un error estratégico que les valió a los conquistadores árabes la primera de sus grandes derrotas, Tahuda, y la muerte de un valiente entre los más valientes: Okba ibn Nafi.

11

Un dios contra el otro

*L*a noche oscura se cierne sobre el campamento. Khaled, dispuesto a consignar las victorias y las derrotas de su pueblo durante la guerra santa en Ifrikiya, se recluye y escribe. Hace más de una hora que ha regresado a su tienda, cerca del palacio de Dihya. Sabe que un emisario vendrá a buscarlo.

Como todas las noches, Dihya lo espera. Como todas las noches, se propondrá firmemente rechazar el lecho de la infiel y liberarse de su embrujo. Como todas las noches, se preparará raudo para la fiesta de los cuerpos.

Esa noche, como todas las noches, la Kahina será pasión salvaje y placer renovado. En el crepúsculo de su vida, bebía de la copa del amor con la misma avidez con que se apaga la sed en el último oasis.

Khaled creía que esos encuentros amorosos tenían, además, un dulce sabor para ella, el del perjurio al que lo había obligado. "Grita de placer porque me ha alejado de mi país, de Hassan, de la *jihad** que libramos contra los infieles", pensaba.

No se atrevía a reconocer que la bárbara se estremecía con la perfecta comunión de sus cuerpos, con su sola presencia... Todas las mañanas, cuando salía de la tienda real, planeaba huir en su hermoso caballo árabe, veloz como un rayo. Y todas las tardes volvía a ella.

Intentaba justificarse con mil y una excusas: "Si lograra convertirla al islam, entonces, toda la humillación que entraña este vínculo sexual desaparecería... ¡*Bismillah!*".

Khaled no olvidaba que Kuceila había sido cristiano. Como los auriba, su tribu, y los branes, a quienes había comandado; como Sekerdid y todos sus oficiales. Su conversión al islam cuando Dinar-el-Mohadjir lo derrotó y Okba, señor de Kairuán, lo trató con dignidad, fue puramente estratégica. En realidad, preparaba su venganza. Otras tribus seguían profesando el paganismo y rendían culto a Gurzil, cabeza de toro. ¿Sería Dihya de veras judía y Yahvé el que inspiraba sus profecías? ¿No decían que también ella había adorado a los ídolos que precedían sus cortejos? Khaled se lo preguntaba con insistencia. El islam reconocía el judaísmo de la Kahina y el cristianismo de Kuceila, como él mismo reconocía a Abraham, figura importante del Corán, a Moisés y a Jesús, pero rechazaba cualquier rito pagano.

Dihya reanuda, tal vez sin desearlo, aquel diálogo:

—¿Cómo un hombre tan bello, tan joven, tan apto para amar...?

—¿Hablas de amor, cuando soy tu prisionero? —interrumpe Khaled, sarcástico.

—¿...puede aceptar la crueldad de una guerra santa... —continúa la Kahina. No oye, no quiere oír la ironía de su amante—... y devastar y matar para imponer a su Dios?

—No mato a nadie. No echo a ningún pueblo de su tierra ni lo saqueo —Khaled se echa en la estera—. No fuimos nosotros los que matamos a nuestros enemigos. Dios los ha matado. *No tirabas tú cuando tirabas sino que era Alá quien tiraba. Para probar a los creyentes con una hermosa prueba procedente de Él.* —Su ciencia de escriba y de letrado le permite incluso precisar—: Corán, sura VIII, versículo 17. —Y luego agrega—: El profeta dice: *Sean pacientes y sepan que el paraíso se encuentra a la sombra de los sables.*

Además, fue un bereber, San Agustín, obispo de Hippone, el primero en llamar a la guerra en nombre de Dios, una guerra, según él, "justa".

—Tú sabes —continúa Khaled— que la *jihad* es una lucha que debe transformar al hombre y a la sociedad al mismo tiempo.

—¡No me vengas otra vez con esa historia! —estalla la Kahina—. Lo que ustedes quieren es conquistar, invadir y apoderarse de las tierras y los bienes. ¡Su *jihad* no es más que una guerra de colonización, Khaled, y necesitan a un dios como excusa!

Esa mezcla de hombres y de tierras, de móviles religiosos y ambiciones políticas, ese llamado hipócrita a lo universal, todo eso la exaspera. La Kahina pertenece al pueblo elegido. Cierto es que no ha surgido del pueblo hebreo original. Su grupo bereber camellero —los zenetas— llegó a Ifrikiya en el siglo VI, convertido por los judíos que provenían sin duda de Siria, después de la destrucción del templo de Jerusalén.

—Nosotros, los judíos, nunca imponemos a nuestro Dios. Es judío quien desea serlo. No hacemos guerras contra los infieles. —Y agrega, como una confidencia incuestionable—: Yahvé es un dios arrogante y celoso. —A Khaled le resulta conmovedora cuando condena con tanta vehemencia la furia religiosa—. Justa o injusta, la violencia no puede engendrar fe ni imponer un dios —afirma Dihya.

—Ese dios, Alá, puede ser el dios de todos —replica Khaled rápidamente. E insiste—: La *oumma** instaura justicia y fraternidad y libera al hombre de la dominación del hombre.

Khaled piensa también en las recompensas que promete Alá a quien logre avances en la investigación y en la ciencia, pero, en su fuero interno, cree que la Kahina, nacida en esa tierra, inmersa en esos ritos y viejas creencias, no cree seguramente en el progreso.

Con la cara endurecida y los labios crispados a raíz de ese diálogo confuso, Khaled se incorpora y se sienta sobre el tapiz. Cómo convencerla de que no se trata de la victoria de los árabes sino de la del islam, de la paz en Ifrikiya, de la unidad de todas las tribus nómades, árabes y bereberes, provenientes del desierto y tan parecidas entre ellas que podrían entenderse mutuamente. Sin duda, reinaría la paz entre ellas si fueran capaces de aceptar a un mismo dios. Bien sabe la Kahina que su conversión al islam marcaría el fin del poder —organizado o esporádico— de los bizantinos sobre esos territorios.

Lo que sabe con certeza es que él quiere su rendición y, con ella, la de todo su pueblo. No es ingenua. Se aleja de la alfombra sobre la que se arrodilló Khaled y se sienta en el banco de piedra, en el rincón de la tienda.

—Nunca, ¿me oyes, Khaled? Nunca mientras yo viva los bereberes serán sojuzgados —amenaza, agresiva, como si se respondiera a sí misma. El dios de Khaled debe, por todos los medios y a pesar de ellos, bregar por la felicidad de los hombres, la Kahina lo sabe—: *Y quien desee otra práctica de Adoración que no sea el Islam, no le será aceptada y en la Última Vida será de los perdedores.* —A propósito, cita una vez más el Corán, el versículo que refiere a los judíos y al islam—: *Di: Creemos en Alá y en lo que se ha hecho descender para nosotros y en lo que se hizo descender sobre Ibrahim, Ismail, Ishaq, Yaqub y las Tribus, así como le fue dado a Musa, a Isa, y a los profetas, procedente de su Señor; no excluimos a unos y aceptamos a otros y a Él estamos sometidos.*[1]

Mientras se acerca a la inmensa estera que ocupa casi por completo el interior de la tienda, Dihya ciñe a su cuerpo la túnica azul como el cielo al amanecer. Recorre la distancia entre un poste de cedro y el otro con elegancia, como bailando.

[1] *Corán*, sura III, versículos 84 y 83.

—Rindes culto a Alá porque te permite tener varias esposas —acusa la Kahina.

—A las mujeres y a las jóvenes, el islam les ha permitido desempeñar un papel que nunca antes habían podido ejercer en la familia y en la sociedad —replica de inmediato el árabe. Ha repetido una y mil veces que el Corán introdujo el derecho de las mujeres a la herencia en sus revolucionarios textos—. El derecho hebraico las ignora a ustedes, las mujeres, como herederas —exclama, poniéndose de pie—. Aunque, en verdad, ¡tú no eres una mujer!

Poco antes, Khaled sólo la provocaba. De repente, la rechaza con brusquedad y niega su existencia. De pie, con una voz cargada de odio, le grita:

—¡Estás poseída por los *djnoun!** ¡No eres capaz de entender, criatura incestuosa!

La infiel lo hundía en las profundidades de un pecado esclavizante y lo obligaba a una traición que lo desgarraba: el soldado a las órdenes de Alá durante el día y el hombre de carne y hueso por la noche.

Los amantes se enfrentan como los enemigos que son.

—Tal vez Yahvé sea un dios autoritario, pero no pretende salvar contra su voluntad a todos los hombres que habitan la Tierra —declara la Kahina.

Finalmente, se acerca al árabe y le habla en voz baja. Todo el rencor parece haber desaparecido.

—Escucha, Khaled, escucha. Han disgregado nuestro pueblo y lo han perseguido porque es justo. Ha sufrido martirios por ser justo.

Khaled retrocede con un movimiento brusco, mientras replica:

—¿Tú, justa? ¿Justa cuando me tienes aquí encadenado?

A lo que la Kahina responde:

—Somos prisioneros uno del otro y nos atan las mismas cadenas.

Dihya está cansada. ¿Para qué discutir, argumentar, la Biblia contra el Corán, un dios contra el otro, la guerra y la paz, cuando sabe que se acerca su hora?

—Sí —repite—, estamos encadenados uno al otro.

Dihya le acaricia suavemente el sexo. Khaled la abraza, sin pronunciar una sola palabra.

12

La razia

La Kahina y Khaled cabalgaban juntos en dirección a la llanura. La escolta los seguía. Los caballos descendían desde la cumbre donde se alzaba Thumar, en el corazón del Aurés, pegados al costado azul de la montaña. La nieve se había derretido y, sobre las cimas, planeaban extraños pájaros provenientes de regiones lejanas. Dihya espoleó a Abudrar.* El caballo relinchó con alegría y se lanzó al galope por el sendero escarpado. Delicados perfumes invadían el claro al que habían llegado. Dihya descendió del caballo con gran destreza. Khaled, que la había seguido al galope, contempló extasiado la levedad, la belleza de su cuerpo. La Kahina recogió algunas adelfas que mezcló con ramas de mimosa. Era su homenaje a la recién nacida primavera bereber, que celebraba la llegada de la reina.

La víspera, los jefes de la tribu nómada de los zouara, pertenecientes a la rama de los botr, como los zenetas y los djeraoua, habían recorrido muchos kilómetros montados a lomo de camello para reunirse con ella. Debían anunciarle que habían sido atacados y saqueados. Los agresores incendiaron sus casas y robaron sus cosechas y su ganado.

—Los encontraremos y recibirán su castigo —les aseguró Dihya, al tiempo que reunía a algunos de sus jefes militares para indicarles la estrategia. No tendría piedad, la represalia sería ejemplar.

—Oh, reina poderosa, conoces la sangre de tus hombres.

Si son libres, quieren ejercer su libertad de bereberes —arguyó Sekerdid, intentando tranquilizarla.

—Yo determino sus libertades —replicó la Kahina. Un rayo de furia le cruzó la mirada. Recordó las incursiones de las tribus nómadas en las semisedentarias o en las del Tell. No eran del todo agresivas. Según la Kahina, cuando llevaban a cabo las razias en las aldeas para "enseñarles el gusto embriagador del viento y el sensual bamboleo del andar de sus camellos", no pretendían destruir el campamento ni la tribu.

—Sin embargo, comprende, oh, reina de los djeraoua, que las tribus, agobiadas por la aridez de nuestros desiertos, se embarcan en guerras para sobrevivir. La guerra nos ha dividido, nos ha arruinado y le ha abierto la puerta al conquistador.

Para Dihya, la verdadera razia era un arma política. No se trataba solamente de obtener un botín o de fomentar una nefasta lucha interna. Permitía una forma de dominación efectiva de las tribus grandes sobre las más pequeñas.

Era verdad que la decadencia del Imperio bizantino en Ifrikiya y el alejamiento del poder central habían permitido la instauración de una cultura de la razia, que coincidía con la llegada de los nómadas camelleros del grupo de los botr, los louata, luego los zenetas, es decir, el mismísimo grupo que lideraba la Kahina.

—Noble *cheikha*, no te olvides —insiste Sekerdid. Durante mucho tiempo había guardado silencio, como a la espera de oír, por fin, el sonido de los cascos montañeses de su caballo contra las piedras—. Los zenetas ya no cuentan sus incursiones en las poblaciones de las orillas del desierto, ni en las de la alta planicie.

En ese momento, Abudrar, el caballo que la Kahina montaba a pelo, giró bruscamente en falso, sus patas delanteras se flexionaron y desestabilizaron a su dueña. Sin una palabra y sin la menor señal de temor, se abrazó al cuello del animal en un gesto de ternura. Con dulce firmeza, lo ayudó a afianzarse en el terreno hasta que logró recobrar el equilibrio. Entonces, Dihya se arregló el pelo que, al caer hacia adelante, le cubrió el rostro. Se alisó la túnica y aferró la lanza con la mano derecha. Con la izquierda tanteó, a la altura de su cadera, el largo puñal que mucho tiempo atrás le había entregado Kuceila, el gran jefe de jefes. Todo estaba en orden. Se irguió con un gesto rápido y palmeó las crines del caballo, que al instante, retomó su trote regular.

Khaled, Sekerdid y otros compañeros detuvieron su marcha para auxiliarla, pero su mirada, fría como una daga verde, los paralizó. La Kahina no necesitaba a nadie, ella y Abudrar eran uno solo. Sus proezas de experta amazona en el Aurés son legendarias, incluso más allá del *limes*.* Evocó el *limes*, justamente, cuyas fortificaciones no impidieron a los louata migrar hasta la cima de las montañas y las inmediaciones del desierto.

—Antiguamente, nuestras tribus penetraron en esa zona fronteriza que los romanos construyeron —dijo Sekerdid—. Dihya, ¿conoces la historia de Tacfarinas el rebelde, ese jefe bereber que mantuvo en jaque al emperador Tiberio y sus ejércitos romanos durante siete años en Ifrikiya?

Dihya, a quien acaba de llamar por su nombre, lo observa, fastidiada.

—Tacfarinas —prosigue el oficial, impasible— era un númida, desertor del ejército romano. Ese guerrero transformó en cuerpos de infantería y caballería muy bien organizados a la banda de pobres diablos a quienes hasta entonces sólo había enseñado a saquear. Se convirtió en el jefe militar de un verdadero ejército. Pero necesitaba tropas dinámicas, nómadas, en cierta medida. Se alió entonces con Mazzipa, que se erigió en su conductor y aterrorizaba a las poblaciones con sus incursiones. De la pequeña Sirte hacia el este, hasta los límites mauritanos del oeste, hizo reinar el terror y la inseguridad.

Khaled guardaba silencio.

—Sí —confirmó Yufitran,* jefe de un importante grupo en el seno de los djeraoua—, lo que significaba vivir en un clima de revuelta permanente y practicar, como un derecho, el saqueo y la razia.

La Kahina no podía aceptarlo, porque el derecho implicaba un orden, el que ella quería mantener.

Los caballos piafaban: habían descubierto muy cerca el agua de un *oued*. Encajonado entre los flancos montañosos, el río se convertía en torrente.

—Tienen que beber —ordenó la comandante—. Detengámonos —y agregó como para sus adentros, extasiada—: ¡Cuánta luz, qué claridad, qué tierra maravillosa! —murmuró—. Todas las tribus necesitan seguridad —prosiguió en voz alta—. Las fronteras, el *limes* romano jamás serán un límite para el pueblo bereber, que reina sobre las estepas y el viento —y dirigiéndose directamente a Sekerdid—: Ahora es necesario predicar la solidaridad en nuestras tribus y acabar con la discordia, y que nuestra unión ponga fin a las razias y a las expediciones guerreras.

—¡Que Yahvé conceda tus deseos, sabia adivina nuestra! —exclamó el oficial.

La vanguardia del cortejo había oído sus palabras, y los jefes levantaron las lanzas en señal de aprobación. La Kahina quería asentar su ley carismática en el espíritu de cuerpo y el principio de igualdad entre las diferentes tribus —tanto los camelleros nómadas como los pastores de las estepas—, a los que hacían referencia ciertos bereberes. Para poder darles la jerarquía y la fuerza de un precepto religioso. Para lograr sobrevivir, porque unía en un frente de resistencia contra el conquistador a un mundo tribal extremadamente heterogéneo.

Al descender al llano a través de la pendiente escarpada, pedregosa y desdibujada, advierten, recortado contra la cara más oscura de la montaña, el campamento devastado. Los bandidos habían destruido a sablazos las tiendas construidas con ramas trenzadas y las chozas de palmitos. El aceite y el agua de los odres perforados regaban la tierra desgarrada por las monturas de los asaltantes. De los sacos de piel de cabra destripados caen a manojos el trigo y, más allá, las aceitunas. Las mujeres lloran, gritan su desesperación, arañan sus mejillas tatuadas... Las pieles de cabra lustrosas no logran ocultar sus túnicas desgarradas. Algunas se golpean el pecho y arrastran los cabellos por el suelo. Otras se balancean al ritmo de una melodía fúnebre.

Los jefes, con los puñales en bandolera, las ropas hechas jirones y los rostros cubiertos de sangre y de tierra, corren hacia la Kahina y exclaman, inclinándose ante ella:

—Oh, *cheikha* que conoces el destino, mira lo que han hecho con nuestro campamento.

—¿Hay muertos? —interrumpe Dihya, erguida en su montura.

—Sí, los hemos puesto en los *guelaat*, arriba, para darles una sepultura digna.

Uno de ellos señala con el dedo la cima de una pared rocosa en la que se distingue una gruta, donde suele conservarse el grano. Los jefes djeraoua de la escolta se lanzan hacia el lugar seguidos por sus hombres. Otro jefe de la aldea se presenta:

—Reina del Aurés, mi familia y mi rebaño se han salvado gracias a Yahvé. Vivo en aquel *afri*.

La Kahina mira hacia donde indica el hombre. El *afri*, esa caverna en la cumbre más alta de la montaña, parece inaccesible.

—Se han llevado todos nuestros animales. ¿De dónde vamos a sacar la leche que necesitamos para vivir? ¿Y el trigo?

La pequeña tribu había cargado provisiones al regresar del Tell. La Kahina mira de soslayo la gran espada que el hombre lleva colgada de la cadera, a la usanza micénica.

—¿Y por qué no has usado tu espada? ¿Dónde ha quedado tu orgullo de hombre libre? —y agrega sin la menor piedad—: ¡Se han dejado vencer y dominar por los vándalos!

Con la punta de su lanza aparta los restos de vasijas rotas y avanza entre los pedazos de arcilla reseca y los cofres destrozados. Una cohorte de niños desnudos corren hacia todas partes, esquivando peligrosamente los cascos de los caballos.

—Sin embargo, han construido torres para protegerse. Mira —señala Sekerdid, mientras bordea unas cuantas construcciones cuadradas de piedras secas—. Pero no han sabido luchar.

Mortificada por la humillación que sufrieron los suyos, la Kahina no disimula su desprecio ni su cólera.

—¿Es que aún no han comprendido que sólo el trueque de todo lo que nos brinda la tierra generará una justa distribución de nuestros productos? Las aceitunas a cambio del trigo —exclama mientras echa sobre la tierra misma un puñado de ellas—. El trigo a cambio de las pieles de los animales. Los dátiles a cambio del resto. —La Kahina suspira—: Primero debemos lograr la paz entre nosotros. Ésa es la armonía que hará retroceder al enemigo.

La estrategia de los djeraoua no siempre fue tan clara. Ni la Kahina tan fiel a sus propios fines.

Las incursiones se multiplicaron. Como medio de dominación política, la Kahina también las instrumentó al servicio de sus planes. Sus tropas protegieron los campamentos más pequeños ante el asedio de los más fuertes. Y, a cambio, reclamaron un tributo. Así, puso en práctica la cultura guerrera de los louata, que llegaron del sur con el fin de tomar por asalto las imponentes montañas del Aurés.

13

La Kahina imparte justicia

¿Cómo podría ella, si no fuera descendiente de los dioses, combatir a mano armada, proteger a sus tribus, brindar apoyo con su lanza y con sus hombres y, al mismo tiempo, oficiar de jueza suprema, sagaz conocedora de los litigios cotidianos de su pueblo?

Todos los viernes, la Kahina imparte justicia. Khaled la contempla, de pie en un rincón de la tienda real, apoyado sobre una viga de cedro centenario. Dihya está sentada con la espalda erguida y las piernas cruzadas sobre una suntuosa alfombra de Kairuán, que Kuceila mandó tejer especialmente para ella. Su túnica roja deja al descubierto el tatuaje que lleva en el hombro, un pez con las escamas doradas. Su cabellera cobriza peinada en tres trenzas, delicada obra de Anella, su criada, desnuda un rostro impasible, despiadado.

Sin embargo, escucha con notable atención y con una solicitud casi compasiva. En esos momentos, aparenta estar tan cerca de sus súbditos que podría decirse que los comprende antes de que pronuncien una sola palabra. Por otra parte, a nadie se le ocurre apartarse de la verdad. ¿De qué serviría? Todos saben que es capaz de consultar los oráculos y de leer los pensamientos ajenos.

Allí está Abarug,* el astuto, que asegura que Agag,* el letrado, le ha robado, mediante sutiles artimañas, un huerto, propiedad de su clan desde tiempos inmemoriales.

—Me confundió con razonamientos complicados, reina mía. Él sabe escribir, y yo sólo sé hablar y contar los sacos de frutos y de aceitunas que nos quita desde...

Cuando la Kahina lo interroga, Abarug vacila. Él aceptó el trato a cambio de un precio convenido.

—¿Y cuál era el precio?

—Un saco de *besants** de plata, gran Kahina.

—¡Así es, reina sagrada, así es! —exclama Agag—. Se lo expliqué y lo aceptó.

La Kahina reflexiona. Implacable, fija la mirada en los ojos de Abarug, el querellante, y luego, en los de Agag, el acusado. Después de un largo silencio, emite su sentencia:

—Somos nómadas, hijos e hijas de las montañas y del viento. Los cascos de nuestros caballos han recorrido la Tierra entera y, sin embargo, nuestras tribus siempre descubren nuevos destinos. Hasta el desierto, que nos pertenece. Este es mi veredicto: dentro de tres otoños y tres primaveras, después de que hayamos descendido a los campos de pastoreo y regresado, Agag, tú le devolverás el campo a Abarug, a la espera de que las bayas y su miel, las aceitunas y su aceite, y las rojas granadas y sus mil semillas fecunden ese huerto.

Los dos litigantes permanecen inmóviles. Se preguntan quién ha ganado y quién ha perdido.

—Es el juicio de Salomón. Ahora márchense —ordena uno de los oficiales de Dihya, en su carácter de vocero oficial. Y sin más, los acompaña a la salida.

Luego, convoca el siguiente caso. Otro pleito. El apuesto Azrur* arrastra violentamente del brazo a Yuften.*

—¡Soy el mejor! —protesta este último—. Soy el mejor. Me obedece a mí, obedece mi música y mi mirada.

Khaled se acerca a ellos. ¿Pero de qué se trata? Entonces, observa una insólita escena. Los dos hombres rodean una caja en forma de jaula; en el fondo duerme una larga serpiente de piel brillante.

—Mira, reina de todas las tribus, mira y escucha.

Yuften saca una flauta de madera pintada y la toca, al tiempo que mira con insistencia el fondo de la caja. La serpiente, hecha un ovillo, con la cabeza triangular completamente inmóvil, parece sumergida en un profundo sueño. A medida que la melodía progresa y que Yuften fija los ojos en ella, despierta poco a poco de su letargo. La serpiente extiende con lentitud su cabeza chata, zigzagueante, y abre los ojos como dos tajos vidriosos. Se yergue despacio, dibujando pequeños círculos en el aire, luego deshace uno a uno sus anillos y comienza a danzar al ritmo de la melodía.

—¡Ya ves, reina justa y poderosa, cómo me obedece esta serpiente! —exclama Yuften, mientras deja de tocar la flauta—. Eso quiere decir que es mía.

—¡Ladrón! ¡Mentiroso! —aúlla entonces Azrur, trastornado por la jugarreta—. Hace dos años que la serpiente es mía.

Y diciendo esto se lanza sobre Yuften, con los puños cerrados.

—¡Hay testigos! ¡Tú me la has robado! —agrega.

Dos guardias *imazighen* le cierran el paso. La Kahina se inclina sobre el animal, el cuerpo del delito. El reptil parece orgulloso de ser observado y alza la cabeza.

—¿Cómo ha logrado Yuften despertar a la serpiente de otro? —se pregunta. Y sin embargo, la ha obedecido; acaba de verlo con sus propios ojos. "Tal vez las serpientes bereberes sean tan versátiles y cambiantes como nuestro pueblo", piensa. La Kahina esboza una sonrisa amarga. El tiempo parece haberse detenido.

—Este es mi veredicto —anuncia—: Yuften, que ha adoptado a la serpiente, la conservará para sí, pero deberá compensar a Azrur, que era su dueño, con dos odres de aceite y cuatro medidas de trigo. ¡Ahora márchense!

"Tiene magia, es definitivamente una hechicera —piensa Khaled—. Esta mujer habla y decide como un hombre".

El último caso de ese viernes condujo ante la Kahina a una pareja en disputa. Itri,* que lleva una estrella tatuada en la frente, avanza arrastrando a su marido Ayrad* por la capucha de su albornoz oscuro.

—Escucha, bella y noble diosa, reina de nuestros destinos. Ayrad bebe y se emborracha. Cuando está ebrio, me golpea con la fuerza de un león... —Itri llora y suspira ruidosamente—: Incluso ha llegado a amenazar a nuestros cuatro hijos. Ya no puedo soportarlo, oh, reina. —Y con voz suplicante agrega—: Tú que conoces nuestro destino, dime, dime si un castigo convertirá al feroz león en un dulce ciervo.

Después de escuchar el relato, los presentes murmuran. Se oyen algunas risas discretas.

—¡Silencio! —solicita el vocero—. ¡Silencio!

—Acércate —dice la Kahina dirigiéndose a Ayrad—. Vamos, acércate. —Y en tono burlón agrega—: No tengas miedo, Ayrad, el león.

Itri lo empuja ante ella. Está sucio y avergonzado.

—¿Sabías que tu esposa, como todas las mujeres, ha nacido pura y fuerte mientras que tú, como todos los hombres, has venido al mundo con cincuenta leones en el cuerpo? No vas a deshacerte de ellos bebiendo ni golpeándola.

Se oyen nuevos murmullos en torno a la alfombra en la que reina la suprema jueza.

—Tu mujer tiene el espíritu fuerte de las mujeres de nuestra raza. Yahvé nos ha hecho a imagen de Judith y de Débora. —Y señala, con un gesto acusador—: Y ningún hombre tiene derecho a lastimarnos.

La Kahina sabe cómo, según la Biblia, la heroína judía Débora, profetisa y líder militar, había impartido justicia. "A la sombra de las palmeras, como yo cuando desciendo al oasis", pensaba la Kahina, con un dejo de satisfacción. "Y como yo, ella ha establecido el derecho y bregado por la salvaguarda de las tradiciones de su tribu". La Kahina se pre-

gunta: "¿Débora fue la única mujer que juzgó en la Biblia?".
Recordaba narraciones de su infancia, de Zeineb, su nodriza,
quien le inculcaba la importancia de las mujeres en la historia del pueblo judío.

"Débora —le había dicho Zeineb— ha guiado a su pueblo, que se hallaba perdido, por el buen camino, la moral y la
religión". Aún puede oír a Zeineb entonar un cántico sobre
el poder, como si fuera Débora, la poetisa: "Hasta que yo,
Débora, me levanté. Hasta que me levanté como madre en
Israel".

"Además — piensa la Kahina— Débora ha insuflado en
los hombres el espíritu de combate que sostiene a un pueblo.
Obró milagros. Inventó su propia estrategia militar".

El pueblo presente en torno a la Kahina se sume en un
profundo silencio. La decisión se hace esperar. Se trata de
un veredicto difícil, sin lugar a dudas.

Entonces, Ayrad se arroja de rodillas sobre la alfombra
de lana espesa mientras exclama:

—Oh, reina de nuestro pueblo, perdón, perdón, pro-
tégeme, protege a mi familia. —Y en un suspiro casi inau-
dible promete dejar de beber y respetar a su mujer, a su par,
según sus propias palabras, su tesoro, su sostén—: Juro ante
Yahvé, nuestro Dios, no agraviar ni golpear a Itri nunca
más, y cuidarla más que al rocío del alba sobre la buganvi-
lla. —Ayrad besa el ruedo de la túnica de la Kahina e implo-
ra—: ¡Misericordia, reina inspirada por nuestros oráculos,
misericordia!

La esposa, consternada ante el arrebato de humildad y
el enorme acto de contrición en público, observa a Dihya esperando encontrar en ella la respuesta a un misterio que no
logra penetrar. ¿Todos los hombres son tan extraños, tan im-
predecibles? La Kahina contempla al arrepentido a sus pies.
Y decide. Alza la voz como para otorgar a su sentencia un
tono de mayor ejemplaridad.

—Por tratarse de la primera vez que Ayrad comparece ante nosotros, y como demuestra haber entendido lo vil que es su comportamiento, al ejercer la violencia contra su mujer, lo perdonamos y lo ponemos a prueba durante seis primaveras.

El veredicto provoca murmullos —de protesta en algunos casos, y de aprobación en otros— que impiden oír su voz. Cuando las voces se apagan, la reina concluye:

—Así, el hombre purificado de sus demonios se convertirá en el *amazigh*, el hombre bereber libre, pero también noble. —Luego, se dirige a Itri—: Al llegar la séptima primavera, cuando la tribu descienda hacia los enebros y los campos de pastoreo, ambos regresarán ante mí. Si tu marido no te ha brindado amor y respeto, entonces será castigado duramente. Ahora, márchense.

—La víspera del próximo sabbat —le susurra al oído uno de sus oficiales— deberás dictaminar sobre los litigios ocasionados por el agua.

A la Kahina, como descendiente de una tribu camellera, poco le importan la construcción de aldeas y la organización de sus habitantes. Por sus venas corre sangre nómada: se encuentra consustanciada con la naturaleza. Los bosques, los campos, los huertos, las montañas y sus picos, con sus mil ecos, eran el ámbito y el escenario de las trashumancias estacionales de los djeraoua y los zenetas. Los nómadas seguían el curso del agua.

La irrigación de las tierras —"proveer agua a quienes nos acogen", decía la Kahina— fue uno de sus grandes logros. Dihya ordenó abrir canales y compartió el agua de los ríos con todos. Cada uno obtuvo su parte, con la condición de cultivarla y justificar, de ese modo, la extensión de su terreno, lo que provocó que algunos *imazighen* desviaran el curso del agua en su provecho. Así fue como la reina acabó escuchando con atención, durante largas horas, las querellas que le presentaban. Con la ayuda de una rama de olivo, recorrió millas[1] y millas para seguir el trazado de las tierras y los canales de los campesinos.

Luego, ofició de árbitro en los pleitos.

Para ello, se inspiró en un derecho consuetudinario, copiado de los ritos de las tribus, que se fundaba en una concepción particular del lugar del hombre en el mundo, según la cual sobre todos los principios se alzaban el honor y la nobleza, pilares que sustentaban a los clanes y a las aldeas. La *horma** era su base. La Kahina, que guardaba un profundo respeto hacia las tradiciones agrarias, sumaba a ellas su visión profética sobre el futuro de su pueblo.

Así, a través de una extraña alquimia, logró fusionar las leyes que rigen la vida cotidiana, las de la naturaleza y las de su poder sobrenatural.

---

[1] Una milla: 1,609 kilómetro.

14

La fiesta guerrera

$\mathcal{A}$ partir de la adopción, desde que compartía su vida con la Kahina, el vínculo que los unía era tan estrecho que había acabado por perder la distancia. Khaled se preguntaba quién era esa mujer. Pacífica cuando restablecía la paz entre sus tribus, justa entre los más justos cuando aplicaba el derecho —el suyo— a sus súbditos, perfecta administradora cuando distribuía el grano, los dátiles y el agua, extraordinaria guerrera, amante apasionada de las armas, las lides y los combates. No lograba comprender a esa mujer que, según decían, obraba inspirada por el Dios de los judíos. Sus gustos, decisiones y amores se alimentaban de todas sus contradicciones.

Tal vez, de eso se trataba la libertad, pensaba Khaled, un poco perplejo.

Al amanecer, Dihya le había anunciado que asistirían, acompañados por algunos jefes, a la gran fiesta de la caballería de una tribu sanhadja. Sentado a su lado bajo una especie de dosel de lana tejida, Khaled la observa.

—Mira qué bellos son los hombres y los caballos. Los hombres morenos, con la cara cubierta por el velo, y los caballos elegantes y veloces como el rayo —comenta ella, mientras extiende el brazo y señala a un jinete o a un corcel.

No bien la luz del día iluminó las hojas del laurel, los hombres se prepararon. Bruñeron las armas, desplegaron las túnicas y se alisaron el velo —el *litham*—* que les cubriría el rostro. También alistaron a los animales: dieron de comer a los caballos a la madrugada, antes incluso de comer ellos mismos, los lavaron hasta dejarles el pelo brillante y sedoso, y los enjaezaron. La práctica de algunos pasos de rutina aligeró sus cascos y demostró su aplomo y habilidad.

La parada, la etapa de presentación, acaba de concluir. Los jinetes ataviados con largas capas oscuras, con el sable o el cuchillo a la cintura y las cabezas protegidas con cascos, se lanzan al campo enemigo blandiendo las lanzas. Armados con un escudo redondo, confeccionado en piel de gacela, los bereberes montan en pelo, lo que siempre ha sido motivo de admiración para otros pueblos. El sol brilla sobre el filo de las armas. La nube de polvo que rodea a los jinetes hace toser a Khaled. La Kahina permanece inmóvil, fascinada. Sigue cada galope, cada contramarcha de esos hombres y de esos caballos en silencio. Evalúa las cualidades guerreras de unos y otros. El modo en que portan el arma, la elegancia del atuendo ecuestre, y la exigente simbiosis del caballo y el jinete. Adora esas lides que revelan el virtuosismo de unos y otros y que, en esencia, perpetúan el ritual de lucha entre las tribus y contra los invasores.

¿Por qué despertaban tanta pasión estas fiestas?, se preguntaba Khaled. ¿De dónde provenía ese gusto desmesurado por ese divertimento cuya fama trasponía las montañas, desde el Aurés hasta el llano? ¿Por qué el rostro de la Kahina se transformaba con el transcurrir de las etapas? No denotaba emoción: los juzgaba rigurosamente, uno por uno. El hielo y el fuego, esa mujer...

—Mira —exclama en el preciso instante en que su amante intentaba descubrirla, penetrar en su interior—, estas fiestas del hombre y del caballo describen nuestra táctica militar.

—Y si disfrutaba tanto de ellas era porque simulaban la guerra tradicional, con sus exigencias de heroísmo y de técnica perfecta—. Así, nuestras tribus se mantienen en buen estado para defender nuestras tierras y nuestras montañas. Hay que rendirles homenaje.

15

Tayri, la narradora

*D*esde su captura en el campo de batalla de Oued Nini, Khaled quiso saberlo todo, desde la estrategia militar que le había permitido a la Kahina conquistar esa victoria hasta el momento en que fue hecho prisionero.

Durante sus años de cautiverio se lo había preguntado cientos de veces. Pero ella se había encerrado en un silencio condescendiente, después de asegurarle: "No soy yo quien deba pregonar nuestras victorias. Forman parte de la historia del pueblo bereber". Khaled deseaba apropiarse de esa historia, ligada a la del islam, a la conquista y a su propia vida. Así, con el correr de los días, obtuvo de boca de los propios jefes militares bereberes el relato fragmentado de sus batallas.

Pero le faltaba lo esencial. Necesitaba penetrar en esa mujer, de la que era amante y prisionero y con quien compartía su vida. Y develar el misterio de la leyenda de Kuceila, el rey bereber que había derrotado a los árabes diez años atrás, en la batalla de Tahuda, gracias a su virtud y a sus dotes militares. Y el de la apasionada complicidad que ligó a ese rey con la Kahina. Khaled insistía obstinadamente. ¿Eran los celos físicos del amante o la curiosidad intelectual del escriba? Intentaba por todos los medios recabar información, alusiones sobre un pasado que ignoraba, y continuaba presionando a Dihya con preguntas.

¿No había dado por primera vez en Tahuda pruebas acabadas de su coraje y de su compromiso con la causa del pueblo bereber contra el invasor? ¿No había combatido al lado del príncipe vencedor, el valiente Kuceila, a quien se alió más tarde, uniendo así a las tribus nómadas de los botr con las de los branes, más sedentarias? ¿No había compartido la vida del gran Kuceila? ¿No había estado unida a él por el amor y la causa bereber durante cinco años, hasta su muerte?

Dihya se mostraba reticente. Sólo había confesado algunas anécdotas de su idilio, sin mayores detalles y sin develar el secreto de ese vínculo singular que consolidó su reinado sobre Ifrikiya hasta el año 688. Evitaba las comparaciones. Así como Kuceila, ya entrado en años, había sido el amante de la joven Dihya, hoy ella era la amante madura de un adolescente árabe, Khaled. Aunque tenía buena memoria, sus poderes mágicos la habían preparado para proyectar el futuro en el presente y no para volver sobre el pasado, cuyas lecciones no atesoraba.

Khaled debió recurrir a los relatos de sus grandes testigos.

En primer lugar se dirigió a Tayri, la vieja prostituta devenida noble por sus conocimientos sobre los hombres y sus talentos de narradora. Su nombre, Tayri, significa amor en bereber. Amó a los hombres y seguía amando a su prójimo. Los acontecimientos felices o desdichados de la tribu signaron su propia existencia. Desde que había enviudado, se la consideraba libre. Frecuentaba a los hombres como ella quería y cuando ella quería. Fue cortesana durante muchos años y amasó una fortuna importante. Podía concederse el permiso de entregarse a un placer elegido, intenso, y vivirlo como tal.

Tayri sabía consultar los oráculos y conocía las fórmulas mágicas, los talismanes y las plegarias privadas a Yahvé necesarias para liberar de un maleficio. Poseía el secreto de esas pócimas milagrosas. Incluso aquella que transforma al

marido más tirano en un "hombre manso como un asno".
También los filtros mágicos del amor a los que las mujeres so-
lían recurrir con frecuencia.

Los hombres fingían burlarse de esas cuestiones pero, en
la intimidad, recordaban con cierto temor aquel proverbio
que describía de cuerpo entero a esa mujer: "Es ciega y, sin
embargo, cose. Es coja, pero salta por encima de las rocas. Es
sorda, pero está al tanto de las últimas noticias". Los hombres
acudían a ella para confesarle su angustia cuando sentían declinar sus dotes viriles; las mujeres, sus celos o su temor a la
esterilidad. Ella los recibía como si fuera una princesa, sobre
sus esteras perfumadas de incienso, y los consolaba como si
fuera una sacerdotisa. La tribu de los djeraoua así lo había decidido. Del mismo modo en que exorcizaba a los *djnoun* —en
algunas ocasiones, genios malignos—, o conjuraba la desgracia, Tayri solía recordar las hazañas del pueblo bereber en melopeyas guturales. "Tayri conoce las luchas y el heroísmo de
nuestras tribus por conservar su libertad. Sabe contar con una
precisión extraordinaria las hazañas, las derrotas y las muer-
tes de los más grandes", solía repetir la Kahina.

Así, con el correr de los días, Khaled adquirió la costumbre de visitarla en esa tienda extraña, abigarrada y recubier-
ta de pieles de cabra, que esa mujer dotada con el don de consultar los oráculos había montado en lo alto de un barranco
abrupto. Para llegar por primera vez ahí, necesitó la destreza
de su caballo árabe, capaz de sortear cualquier obstáculo, su
habilidad como jinete para atravesar el puente construido con
troncos que conducía a su morada y, sobre todo, su natural
obstinación. La primera vez, la figura de esa mujer —una
prostituta sagrada— lo sorprendió. Era joven aún, pero tenía
las mejillas pintadas con el rosa furioso que se extrae de las
bayas salvajes, los ojos rasgados y ennegrecidos por el kohl,
los cabellos teñidos con alheña y sujetos con un pañuelo re-
camado en perlas.

—Tienes unos tatuajes realmente bonitos —le dijo Khaled, no bien fue invitado a sentarse frente a ella.

Tayri cubrió con su túnica verde el pez azul con escamas doradas que exhibía en el hombro. El mismo que Dihya, observó Khaled.

—¿Qué te trae hasta mí, apuesto príncipe? —preguntó la mujer.

Khaled se acercó a ella, sin revelar sus verdaderas intenciones. Deseaba conocer al gran Kuceila como su pueblo lo había amado y confrontar la historia de la batalla de Tahuda relatada por los árabes con la de los vencedores. Reunir la euforia de la libertad de estos últimos con el espíritu de resistencia de los vencidos. Nada más que eso, aseguraba Khaled. Calló cualquier alusión a la historia de amor entre la Kahina y Kuceila, ligada a la del pueblo bereber.

Tayri se excusó en un principio, argumentando su inexperiencia como estratega. Khaled le recordó sus méritos en materia militar. Tanto insistió que Tayri acabó por ceder.

—Ven a verme mañana —propuso la mujer—, antes de que el atardecer cubra la montaña con su manto transparente.

16

La victoria de Kuceila en Tahuda

—*I*magino que conoces la epopeya de Okba ibn Nafi, noble príncipe, y sabes con cuánta tenacidad ha intentado someter a todo el territorio africano y a los bereberes al islam.

Khaled inclina la cabeza en señal de asentimiento.

—Tu tío, el general Hassan, fue quien lo sucedió —continúa Tayri.

El árabe alza los hombros, impaciente. La mujer insiste, con un dejo de perversidad en la voz:

—Nuestra reina, la Kahina, lo ha vencido en el Oued Nini, allí donde caíste prisionero.

Sí, eso también lo sabe Khaled perfectamente.

—Tayri, por favor, ¿puedes contarme de una buena vez la historia bereber? —No pudiendo reprimirse más, Khaled le ordena hablar sin más digresiones ni cuestionamientos—. Empieza con la batalla de Tahuda y la victoria de Kuceila.

Necesita con urgencia conocer las circunstancias del encuentro entre la Kahina y Kuceila, su héroe.

Tayri lo contempla, disgustada. No está acostumbrada a ser tratada de esa manera, obligada a apresurar el ritmo parsimonioso de sus frases, por lo que agrega, a modo de explicación:

—Nuestra historia es secular, así es que...

Y comienza su relato.

—Okba era un fanático recalcitrante y emprendió una ambiciosa expedición al Magreb. Envió a sus tropas con el botín a Kairuán y a Bizacena, y entró en Tahuda sin escolta. Tahuda, ubicada entre Biskra y Oued el Abiod, es la frontera sur del Aurés. Los romanos la habían urbanizado y convertido en una ciudad distinguida: allí se erigían una basílica, templos, teatros, baños y maravillosos jardines que reflejaban la luz rosa del atardecer sobre las elegantes fincas. En los alrededores, se extendían campos cultivados y agradables vergeles.

Khaled maldice para sus adentros la excesiva cuota de lirismo que retrasa el relato de los hechos, pero no se atreve a interrumpirla. El deber del historiador consiste en escuchar todo, leer todo y luego seleccionar la información. Entonces, se conforma con suspirar.

Tayri sacude la cabeza, como si estuviera ante un niño, y retoma el hilo de la historia:

—Cuando Okba llegó allí, Kuceila, su príncipe cautivo, acababa de abandonarlo repentinamente. Ya se había convertido al islam al caer prisionero de Abu el Mohadjer, llamado Dinar, el predecesor de Okba, con el fin de burlar la vigilancia de sus carceleros. Okba lo maltrataba y lo humillaba. No mostraba la menor consideración por su rango y su coraje. "¿Te olvidas de que dirige al pueblo bereber porque es el jefe de los auriba y de los branes?", le reprochaba Dinar, el gobernador vencido y suplantado por su "hermano", árabe como él, Okba, quien lo trataba, también a él, con la misma insolencia. Quería —insistía Tayri— castigarlos a ambos por haber fraternizado. Los prisioneros de orígenes tan disímiles habían estrechado lazos a pesar de las barreras que imponían la religión y las montañas.

"Kuceila cayó prisionero junto a su lugarteniente Sekerdid ibn Roumi. Aunque eran cristianos, abrazaron la religión musulmana y practicaron, en presencia del jefe árabe, los rituales piadosos: los rezos con el rostro dirigido a la Meca varias veces al día, las invocaciones a Alá y a Mahoma, su profeta, los frecuentes *bismillah* que enfatizaban sus frases.

"El conquistador árabe ya había rodeado la ciudad fortificada de Baghaia. Tomó Lambèze y derrotó a los príncipes bereberes de las regiones de Zab y de Tiharet, e incluso a los sanhadja, esos paganos que usaban velo y nunca fueron cristianos. Quiso entonces entrar en Tahuda. Dinar intentó disuadirlo. Alegó que una maldición caería sobre quien osara ocupar esa ciudad; y que ignoraba los planes de su amigo bereber, el magnífico, el astuto Kuceila.

"Todo se acabó —afirma entonces Tayri— el día en que —humillación suprema— Okba quiso obligar a Kuceila a degollar a dos carneros. Ante tamaña humillación, Dinar exclamó: '¡Pero cómo se te ocurre! ¿Quieres hacer de un príncipe un carnicero?'".

Khaled se yergue sobresaltado. Parece manifestar la misma sorpresa indignada.

—En realidad —confía la mujer—, gracias al vínculo que mantenía con los miembros de su tribu y con los zenetas, en el Aurés, el príncipe había organizado su propia liberación y la de su pueblo. Los guerreros bereberes, mucho más numerosos que la reducida escolta de Okba, conformada sólo por unos cientos de hombres, debían rodearlo, ocultos en los árboles que circundaban la ciudad. Sekerdid esperaba la señal de Kuceila: la transmitiría y se lanzarían al ataque.

—¿Qué señal? —preguntó intrigado Khaled.

—Debía acariciarse la barba lentamente, varias veces. No bien lo hizo, se desató la batalla. La ciudad fue invadida por olas de guerreros que gritaban: "¡Kuceila! ¡Kuceila!".

Tayri da esas precisiones, aunque sabe que ninguna palabra puede describir la importancia capital del enfrentamiento.

—Tan así es que Dihya —agrega—, montada sobre Abudrar, el de los cascos montaraces, cabalgaba entre Thabet, su padre, y Zenón, su compañero. Ese día predijo el avance del enemigo; ya comenzaba a leer el futuro de su pueblo.

La narradora hace una pausa. Cambia de posición en la

estera, vierte con un gesto ampuloso en el bol un brebaje que huele a menta fresca y retoma el relato:

—Ese día, también, la joven Dihya dio muestras acabadas de su valor y sus talentos de guerrera, como si fuera un hombre. Luchó al lado de los suyos, pero no se quedó en el campo de batalla donde, horas después, se desarrolló la cruenta carnicería.

"Los narradores árabes afirman que no sobrevivió ni un solo musulmán. Okba se negó a huir. 'Nos pondremos de pie, resucitaremos y nos presentaremos ante Alá, el todopoderoso, con nuestras lanzas en la mano', proclamó. Luego se arrodilló para morir como un mártir entre los suyos.

"Abu el Mohadjer, llamado Dinar, el anterior gobernador de Ifrikiya que había hecho prisionero a Kuceila, no aceptó la libertad que el gran jefe bereber le ofreció: 'Mi lugar está entre mis hermanos del islam. Moriré con ellos para que triunfe Alá', aseguró. Y después de tenderle la mano al vencedor, se reunió con el grupo que se había conformado en torno a Okba.

"Al alba, Dihya comenzó a buscar a su padre y a Zenón. Los descubrió juntos, muertos, bañados en su propia sangre. La joven lloró tristemente: 'Padre mío, eras noble y valiente entre los *imazighen* y los árabes te han asesinado. ¿Por qué a ti? ¿Por qué a Zenón?'. Increpaba al cielo aún oscuro y no lograba separarse de los cuerpos sin vida. Aseguraba que Yahvé, el que todo lo puede, no la había protegido. En los oráculos sólo había leído la victoria bereber y no la muerte de su padre, un hombre justo entre los más justos, ni la de Zenón, su joven y apuesto amante.

"Erró, desesperada, huérfana, perdida en el campo de batalla. Todavía no era la Kahina, la adivina, sino una joven mujer destrozada por la pena. Dihya expresaba su dolor con las palabras propias de su tribu, las lágrimas de todas las viudas, los gestos cotidianos de la desesperación... Sus ojos extraños, místicos, no buscaban respuestas. No erguía su cuerpo de gacela, expectante, como aguardando una revelación futura. Estoy convencida de que, en ese momento —precisó Tayri, frotándose un paño de lana blanca debajo de los ojos manchados por el kohl—, ya no creía en el futuro, aunque sus dones, sus facultades proféticas habían nacido con ella.

Khaled parece reflexionar en voz alta.

—Sí, noble señor. Puedes torcer el hierro. Puedes quebrar a un ser humano si matas a quienes ama... Dihya, la maga, la profetisa que descifraba los oráculos, la futura Kahina, en el fondo, era tan sólo una mujer.

Tayri hace una pausa.

—Fue entonces cuando la descubrió Kuceila.

El tono de su voz anuncia que la historia toma, por fin, un cariz decisivo. Un intenso escalofrío estremece el cuerpo de Khaled. Se acerca a ella y, con un inconfundible dejo de ansiedad en la voz, pregunta:

—¿Qué se sabe de ese encuentro? Cuéntame.

Tayri prosigue:

—Kuceila se inclinó sobre ella. "Has combatido con valentía y eres digna de nuestros antepasados", le dijo, mientras la ayudaba a ponerse de pie. Pero Dihya se separó de él. "Déjame llorar. Nunca olvidaré a Thabet, mi padre, el jefe de los djeraoua, y a mi dulce amante Zenón. Han entregado la vida para que tú seas libre".

"El experimentado Kuceila, indiscutible caudillo en tantas batallas, testigo de tanta muerte, la observó con detenimiento: 'Eres joven y bella. Tienes toda la vida por delante. Conserva en tu corazón a quienes amas, y así no morirán jamás'. Luego le preguntó: '¿Cómo te llamas?'. 'Dihya', respondió la joven. En ese momento, la intensa luz de sus ojos lo enegueció. 'Sé que eres Kuceila, que las tribus de los auriba y los ketama te reconocen como su príncipe y que has sabido conducirlos a la victoria'. 'Y tú serás la reina del Aurés y comandarás a las tribus nómadas de los botr, que habrá que unir a las sedentarias de nuestras ciudades y nuestras aldeas', respondió Kuceila. Se observaron en silencio. El viejo *cheikh* y la jovencita destrozada por el dolor. El general y la reina de la Berbería. Sobre ellos recaía la responsabilidad de la unión tribal. Con un gesto paternal, Kuceila la estrechó contra su pecho.

17
¡Unidad, unidad!

—¿Y luego qué sucedió? —preguntó Khaled. Su ansiedad exigía una respuesta inmediata.

Tayri le dirigió una mirada condescendiente:

—Debo ayudar a las mujeres estériles a curarse. Les he preparado las plantas de los pies y voy a enseñarles un rezo. Me esperan allí, en el talud. —Se puso de pie y señaló vagamente el exterior—. Tienes que irte, apuesto príncipe. El propio Yahvé ha escrito la historia de Kuceila y de la Kahina. Por eso es bella y es larga. —Lo tomó del brazo y lo empujó suavemente hacia la entrada de su tienda—: Regresa en dos días y te la contaré.

Así Khaled fue despedido y, devorado por la impaciencia, debió montar a caballo y tomar el camino de regreso. Antes de partir, deslizó entre los senos de Tayri unas cuantas monedas de oro. A la vieja prostituta, el frío contacto con el metal le arrancó una sonrisa.

Antes de la hora convenida, Khaled se encontró una vez más frente a la mujer que se había convertido en la memoria viva de los djeraoua y su gloriosa epopeya.

—Entonces, ahí estaba Kuceila, en Kairuán. Entró en la ciudad que Okba —y tú lo sabes muy bien— había fundado, construido, embellecido y erigido en capital.

"Su triunfo fue contundente. Las puertas se abrían ante él de par en par. Era considerado el rey indiscutido de los bereberes, el vencedor de Okba ibn Nafi, quien había cometido las atrocidades más tremendas en las provincias sitiadas: saqueó, secuestró mujeres, cobró tributos a los vencidos, obligó a las poblaciones —sin que importara que fuesen cristianas, paganas o judías— a convertirse al islam por la fuerza. En Capsa y en Castiliya mandó degollar a los infieles. El solo hecho de pronunciar su nombre producía terror.

"Así, después de penetrar en el Magreb el-Acsa, sometió a la tribu de los ghomara y, desde ahí, persiguió a los masmouda, que fueron vencidos y obligados a adoptar el islam. La tribu de los haskoura, proveniente del Souss, también fue derrotada, como todos los grupos bereberes que se cruzaban en su camino.

"Kuceila deseaba instaurar un reinado de justicia en su pueblo, tan duramente castigado. Le concedió una amplia protección e intentó reparar las vejaciones a las que se vio sometido. ¿Pero qué pueblo? Las adversas condiciones exigían la unidad de las tribus. Primero la unidad entre los sedentarios, los branes, y luego entre los nómadas, los botr. Por último, y aunque pareciera una utopía, esperaba unir a los nómadas y a los sedentarios.

Tayri hizo una pausa y continuó:

—Kuceila no pudo olvidar la deslumbrante aparición de Dihya en el campo de batalla de Tahuda. Conocía la influencia que ejercía esa mujer sobre los djeraoua del Aurés, de donde provenía, y también sobre otras tribus que profesaban, como ella, el judaísmo. Esa fe y esa religión, le dijeron, habrían llegado hasta África por corrientes migratorias de poblaciones judías de Siria, en aquel entonces poderosas, y después de la destrucción del templo de Jerusalén. Los nefusa, los bereberes de Ifrikiya, los fendeloua, los nediouna, los behloula, los gaita y los fazaz del Magreb el-Acsa eran otras tantas tribus judías.

"Los montes del Aurés representaban el reino de Dihya. La dinámica, el flujo y el reflujo de sus nómades, su táctica. Decían que era sumamente inteligente y, al mismo tiempo, una gran estratega, capaz de utilizar todos los ardides a su alcance para afianzar su poder. Hábil, dueña de una voluntad férrea, la Kahina sabía poner límite a los saqueos y el desorden cuando atravesaba una ciudad.

"Después de la muerte de Okba, las tribus judías —por el momento judías, se decía para sus adentros Dihya, escéptica, aunque no se hacía ilusiones con respecto a su inconstancia y aptitudes para pasarse al campo enemigo— permanecían sumisas. Su poder sobrenatural, el don de predecir el futuro y actuar en consecuencia les parecía la garantía más confiable para obtener la victoria y organizar su sociedad nómada.

"Por su parte, después de la victoria en Tahuda, el lúcido Kuceila había logrado seducir a las grandes confederaciones bereberes, tanto las que se proclamaban cristianas como las idólatras. El fervor y el poderío militar de esas tribus le permitieron avanzar sobre Kairuán, símbolo y trofeo de la invasión árabe.

"Kuceila pronto comprendió que su alianza con la reina bereber podía consolidar la estabilidad de ese pueblo dividido e irracional. No se trataba de domeñarlo, sojuzgarlo o imponerle un orden disciplinario, aunque fuera el de un jefe que él mismo hubiera elegido. Por otra parte, esa inconstancia resultaba ser una virtud: lograba desaparecer y reaparecer donde el enemigo no lo esperaba. Entonces, cuando el invasor cree que las tribus están acabadas, derrotadas para siempre, atacan de nuevo, hasta el cansancio. Así, el invasor no logra alcanzar la paz que necesita para establecerse ni para crear un orden nuevo.

⁓

Tayri reanudó el relato:

—Piensas en los defectos de nuestras tribus cuando deberías rescatar su espíritu vivaz, su fuerza de acción, su orgullo. Dihya acababa de llegar a Kairuán por orden de Kuceila. Así es como nuestro pueblo ha inscripto su historia en los anales de la eternidad.

"En la inmensa terraza ocre y roja de su palacio real, atestada de rosas y romero, con sus flores azulinas, los dos jefes dialogaban frente a frente, como pares. La belleza de la joven Dihya perturbaba al viejo general. Cuando hablaba, sus ojos esmeralda se oscurecían, como subrayando la importancia de sus palabras. Su cabellera, de un rojo bermellón, que echaba hacia atrás con gestos imperiosos, enmarcaba delicadamente su rostro. 'Sabes, señor de nuestras tribus —exclamó Dihya, y Kuceila no pudo evitar detenerse, arrobado, en la sensualidad de sus labios—, que el futuro está en tus manos, en las de nuestro pueblo'. Y agregó, dubitativa: 'Los oráculos me lo dijeron ayer'. Ella, la adivina, ocultaba un sombrío presagio: su muerte. Una ola del color de sus ojos, un destello del agua, había traído hacia ella su imagen, decapitada por un sable. 'Sí —continuó Dihya, con una risa nerviosa—, tienes razón, la unidad bereber es la mejor defensa contra el califa y sus tropas'. Kuceila sería el jefe y, bajo su liderazgo, desde las doradas arenas de Egipto hasta Tánger, a orillas del gran océano, desde las cumbres del Aurés hasta los bosquecillos de alcornoques de la Bizacena, todas las tribus, branes y zenetas, ketama y sanhadja, conformarán un solo pueblo, el pueblo bereber. Dihya irradiaba una luz intensa. Kuceila recibía sus predicciones como una ofrenda invalorable. 'Y tú, ¿qué quieres a cambio?', le preguntó.

"Dihya se acercó a él, buscó los ojos de su señor y sostuvo su mirada: como un rayo, un pacto de sangre se gestó entre ambos. Luego se alejó sin decir palabra, saludó en señal de fidelidad y regresó junto a su escolta.

Al llegar a ese punto del relato, Khaled toma a Tayri por los hombros y la sacude.

—¿Qué dijo Dihya entonces? ¿Qué sucedió? —pregunta, controlando a duras penas su ansiedad. Quiere saber eso que nadie, en la historia del pueblo bereber, supo jamás.

—Combatieron juntos, unidos como eternos aliados. Estaban protegidos por los dones adivinatorios de la Kahina y la ciencia magnánima del gran Kuceila. —Y cuando Khaled, despechado, la soltó, agregó—: La reina se alejaba cada tanto, algunos días. Como un animal salvaje, en busca de los olores de la estepa, galopaba, galopaba…

El árabe, exasperado, se puso de pie.

—Pero no tardaba en volver —precisó Tayri.

—Dime la verdad, vieja hechicera, ¿se amaron? —brama, sin poder controlarse.

Entonces, la vieja hechicera clava en él su mirada y responde:

—Ella era una joven fascinante. Él, un general veterano, apuesto y distinguido.

Fueron sus últimas palabras.

18

Kuceila y la Kahina reinan

~

Así, escuchando a Tayri, la narradora, Khaled consignó la epopeya de Kuceila en el campo de batalla de Tahuda y otros episodios más personales. Y así, con el escalpelo del amante celoso, diseccionó la historia de los dos jefes victoriosos, el viejo Kuceila y la Kahina, que reinaron en Ifrikiya durante cinco años.

~

—Él era el general que administraba las ciudades, en Kairuán; ella era la adivina de Thumar, que vivía como nómada en los nidos de piedra del Aurés. Su alianza había sellado el destino del pueblo bereber.

"Una guerra civil latente les impidió a los árabes lanzarse con éxito a la conquista de Ifrikiya. Desde la época de los roums —unos griegos a quienes consideraban dueños de la región—, los árabes no sabían demasiado acerca de los bereberes. Salvo que habían pagado el impuesto de Heraclio y obtenido, el menos eso decían, algunos privilegios de esos romanos de Oriente. Los estrategas musulmanes ignoraban, incluso, que los mantenían sojuzgados y ocupaban las fortalezas y las ciudades. 'Mi pueblo ha habitado Ifrikiya, Magreb el-Acsa hasta Alejandría, y desde el mar romano hasta las regiones pobladas por las tribus negras. ¡Los conquistadores nunca podrían entenderlo!', solía decir Kuceila. También resultaba inexplicable la facilidad con que los bereberes cambiaban de religión. Sobre todo los sedentarios. Eran paganos y, sin embargo, se habían convertido al cristianismo bajo la dominación romana, cuyas ciudades de Sbeitla, Djeloula, Utiqua o Zana testimonian la grandeza y el auge edilicios. Algunas tribus —entre ellas, la de los djeraoua con la Kahina a la cabeza— habían incluso adoptado el judaísmo, importado de Siria.

Tayri sonríe, realiza una pausa y retoma el discurso:

—Kuceila el beberer sabía lo ardua que era su misión. En primer lugar, unir y pacificar. Luego, organizar y administrar esas regiones divididas, donde cada tribu, cada clan reivindicaba su origen, y por ende, una jerarquía especial.

"Haciendo alarde de gran autoridad, comenzó por integrar a las tropas árabes que no habían podido huir, dispersas en Bizacena. Las mujeres buscaban a sus maridos; los niños, a sus padres. Terribles enfrentamientos armados habían cortado la ruta, destrozado hogares y separado a las familias. Con la ayuda de su fiel lugarteniente Sekerdid ibn Roumi, llamado el auresiano, Kuceila se propuso reconstruir esos grupos. Algunos habitantes de Kairuán no habían podido reunir a sus familiares y sus bienes, y abandonar la ciudad. Al instalarse en ella, tras la victoria, les concedió la gracia de liberar a los prisioneros y les prometió, contra su propia alianza de lealtad, la misma protección que a las tribus zenetas o branes. Recibía las quejas, guiaba las búsquedas y reinstalaba a las familias dentro de la ciudad amurallada. A menudo, lo convocaban para dirimir los litigios y determinar filiaciones y propiedades. Con gran generosidad, escuchaba e impartía su justicia.

"En esos cinco años durante los cuales los árabes parecían haber olvidado su guerra santa contra los infieles, desde su fortaleza de Kairuán, Kuceila desplegó sobre toda Ifrikiya su aura de rey magnánimo y de excelente administrador.

"¿Había dado cuerpo y espíritu a la legendaria solidaridad de su pueblo y modelado a su manera la fraternidad bereber? En todo caso, después del sangriento reinado del bizantino Justiniano I y de la crueldad de Okba ibn Nafi, Kuceila logró que la Ifrikiya bereber conociera la paz y la unidad, y que Kairuán, donde instaló sus legiones, se erigiera en la capital de un imperio resucitado.

"Así transcurrió el tiempo hasta el año 688, cuando se topó con las tropas de Zouheir ibn Cais el Beloui, que el califa Abd el-Malek había enviado con la misión de exterminar y someter a los infieles.

"Como líder de sus tribus, Dihya se sentía a la altura de su aliado. Iba de una a otra, organizando la trashumancia hacia el llano y la cosecha de aceitunas o de dátiles en el sur. Su poder, que decían divino, obligaba a los jefes de los clanes más intransigentes a acatar sus órdenes. Algunos se sublevaron e intentaron recuperar su independencia. '¿Pero para qué?', se preguntaba, irónica, la Kahina. No sabían recaudar los impuestos por su cuenta, buscar pleito con el vecino ni soñar con un futuro mejor.

"La Kahina conocía a sus súbditos. Como los caballos salvajes, se rebelaban bajo el yugo de la autoridad consolidada. La obediencia se convertía en sometimiento si se trataba de un poder a perpetuidad. Eran torpes y no comprendían que dividirse equivalía a firmar su sentencia de muerte, que cambiar de amos, traicionar y traicionarse a sí mismos a merced de las sucesivas invasiones los liberaría de una esclavitud sólo para someterlos a otra, que apostatar no los pondría bajo la tutela de un dios benevolente... Tanto más cuanto que la Kahina predecía y forjaba su destino.

"Habitualmente, vivía en la Kairuán reconquistada, al lado de Kuceila. El *cheikh* y la *cheikha* se inclinaban juntos sobre los mapas, intercambiaban opiniones sobre sus planes y se mostraban atentos a las necesidades de sus súbditos: ese camino romano lleno de pozos a raíz de las lluvias que hicieron desbordar el *oued* Zeroud sobre la llanura, al sur de Kairuán; aquella tribu que reclamaba la vigilancia de sus *guelaat* o esa otra que deseaba construir su granero de trigo. Entre los dos encontraban soluciones para todos los casos. Y siempre en pie de igualdad.

Tayri hace una pausa. Con una sonrisa a flor de labios, lanzando una mirada provocadora a Khaled, comenta:

—Las diferencias de sexo y de edad desaparecen entre seres de tamaña envergadura. Y cuando la mujer se convierte en la divina Kahina... —Luego, continúa—: Un día Kuceila le dijo: "Un grupo de *timazighine** nos espera al pie de la torre. Esas mujeres reclaman husos para hilar la lana y peines para cardarla. Tú vas a recibirlas, Dihya, porque esos son asuntos de mujeres". Sin decir una palabra, Dihya lo contempló un buen rato. Ese gran señor mauritano, bautizado y seguramente educado según las costumbres latinas, sólo conocía mujeres que se ocupaban de curtir pieles de cabra para hacer odres, o tejer durante largas horas la lana esquilada a los carneros, o preparar con movimientos lentos, propios del ritual, los granos de trigo del *seksou*. "Nunca he querido aprender a hilar la lana. Tal vez descubrí demasiado pronto a tirar con arco y a cabalgar con una banda de muchachos. Y, ya has visto, sé usar las lanzas de los guerreros". Le relampagueaban los ojos, y agregó: "Nunca tuve maestro".

"No era sólo una mujer, sino una mujer y una diosa al mismo tiempo, una mujer y la jefa de las tribus reunidas.

"Kuceila permaneció en silencio. 'Por Dios, qué hermosa es', pensaba, con esa mirada brillante de furia.

"Ella, dueña y segura de sí misma, de sus dones. Él, triunfador y magnánimo, fuente de paz y de concordia. Tan distintos y tan perfectamente unidos en la conducción de su pueblo.

Tayri, la narradora, se quedó en silencio. Khaled la interrumpió:

—Por Alá todopoderoso, ¿te has vuelto estúpida de tanto vender tu cuerpo a cambio de dinero o intentas ocultarme la verdad, vieja hechicera?

Esa cólera dejaba entrever algo más que sus celos de amante, pensó la vieja hechicera. Y tenía razón. De hecho, Khaled, el escriba culto, quería saber más para ubicar en el lugar correspondiente las fichas de su venganza.

—Te repito: nadie ha podido confirmar que fueran amantes —Tayri hizo una pausa—. Ni lo contrario —agregó.

¿Kuceila habría sido el jefe político de la Kahina? ¿Era el responsable de las grandes decisiones con respecto a toda Ifrikiya? ¿Tendría ella sólo la función —subalterna, en definitiva— de mantener unidas a las tribus con la ayuda de sus dotes mágicas?

Tayri estalla en carcajadas. "Es realmente la risa de una bruja", piensa Khaled.

—¿Que él fuera el jefe de la Kahina? ¿Pero qué piensas? La Kahina es libre como la amazona de los bosques. Para ella, la muerte no significa nada al lado de la esclavitud. Un día me dijo: "Ustedes, las mujeres, sólo saben ceder, mendigar y rogar. Se resignan. Quieren atarse a un hombre por temor a reconocerse libres. El sometimiento es su destino. El mío es elegir, ordenar y tomar…".

Khaled ve reflejadas esas palabras, esa libertad, en su cuerpo de gacela, en sus rasgos luminosos, en la insaciable voluptuosidad de esa guerrera…

—La autoridad de un hombre jamás hizo mella en esa mujer —agrega Tayri, como para completar su pensamiento—. Respondía a un doble designio. Y nadie le mostraba el camino.

Khaled lo sabía. Entre sus brazos, la Kahina nunca había abdicado.

19

Kuceila muere en Mems

~

—Así, durante cinco años —subraya Tayri—, Kuceila fue el jefe indiscutido de los branes y la Kahina, su aliada, reinó sobre las tribus nómadas de Ifrikiya. El triunfo de Tahuda sobre los árabes y la muerte del general Okba, quien había extendido la conquista hasta el océano de Magreb el-Acsa, significaban para el califa Abd el-Malek una verdadera revancha.

Los hijos de la Kahina y Khaled, el adoptado, conocieron ese episodio de la historia del pueblo bereber gracias a los relatos de Sekerdid ibn Roumi, el auriba, y de Tayri, la prostituta sagrada, e incluso Oum Zamra, la nodriza de Thabet, el padre de Dihya.

Pero estas últimas, como narradoras tradicionales que eran, componían poemas en los que rendían homenaje a sus respectivas tribus y a los fuertes lazos que las ligaban a la naturaleza. Proclamaban insistentemente la ascensión de Dihya, su lucha por la unidad bereber y los dones divinos que Yahvé le había concedido. Y su belleza. En sus cuentos poco importaba el rigor científico.

Harto del lirismo que Tayri imprimía a su narración, Khaled prefirió, por fin, unirse al círculo de guerreros que por las tardes escuchaban a Sekerdid, el fiel, que relataba la epopeya trágica de Mems, sucedida unos diez años atrás.

~

—En el año 688 —comenzó son solemnidad Sekerdid—, el califa pidió a Zoheir ibn Cais que vengara la humillación sufrida por el pueblo musulmán. Zoheir era el compañero de Okba, la persona indicada para reparar la afrenta. Recibió entonces la orden de marcharse a Ifrikiya con el refuerzo de hombres y el dinero necesarios para llevar a cabo el plan. Algunos jefes de Siria se unieron a la tropa que partió en pos de los infieles. Había que castigarlos.

"Advertido de ello, Kuceila abandonó Kairuán al mando de sus hombres, bereberes y griegos. El choque entre ambos bandos fue terrible, una verdadera carnicería.

"Kuceila, el valiente, murió asesinado en Mems. Puñal en mano, combatió hasta su último aliento, aun herido de muerte. Los jefes de los clanes bereberes, los príncipes roums, fueron perseguidos y aniquilados. A pesar de haber sufrido grandes pérdidas entre hombres y caballos, los árabes contaban con fuerzas muy superiores y lograron aplastar a las tropas bereberes.

"Zoheir regresó a Kairuán mientras pensaba, lleno de ambición, que Ifrikiya podría convertirse en un gran imperio árabe. Aunque debió resignarse con humildad a combatir a los infieles en nombre de Alá. 'Temo morir si cedo a mis inclinaciones", habría dicho, según el relato de ciertos testigos.

"Partió, entonces, al mando de poderosas huestes hacia Oriente, en dirección a Barka y Cirenaica. Allí fue donde otros actores de esa tragedia guerrera hicieron su incursión. Los griegos de Constantinopla, refugiados en Sicilia, ocuparon Barka, la saquearon y exterminaron a los árabes que vivían en aquel lugar. Zoheir los atacó, dando muestras acabadas de gran coraje. Pero los griegos, que eran más y estaban mejor armados, los derrotaron. Así fue como el árabe sucumbió, después de su victoria en Mems.

≈)

Sekerdid había combatido en Mems, al lado de Kuceila, su jefe, hasta el final. El ejército árabe acabó por retirarse y regresar a Egipto.

Había intentado proteger a su señor, pero este había muerto, luchando a brazo partido desde el suelo mismo, atacado por varios jinetes musulmanes que lo tenían acorralado. Le había jurado que, si escapaba una vez más, permanecería por el resto de sus días al lado de la Kahina, que le brindaría su experiencia como guerrero y la certeza de una fidelidad inquebrantable.

—Ella asumirá el liderazgo bereber para conducir al pueblo a la victoria —le había dicho Kuceila—. Pero es necesario que permanezcas a su lado.

Sekerdid no olvida esas palabras. En los relatos que prodigaba a los clanes bereberes dispersos en las arenas del desierto o que acampaban en las costas del mar romano, no olvidaba mencionar el heroísmo de su gran unificador y la promesa hecha. De ahí el lugar de primer oficial que ocupaba al lado de la Kahina.

Por el contrario, ocultaba el orgullo soberano de su reina y su poder sobre los hombres, tanto en el amor como en la guerra. ¿Era capaz de traicionarse y traicionarla confesando que, desde la muerte de Kuceila, había esperado sin cesar, noche tras noche, que ella enviara a buscarlo? ¿Que en cada encuentro amoroso sentía que esa divinidad capaz de liderar ejércitos enteros, con el correr de los años, seguiría siendo única?

En ese punto del relato, Sekerdid hace siempre una pausa, como para subrayar el alejamiento, la distancia y su veloz llegada a Mems.

—La Kahina se hallaba en Thumar, en el Aurés. Debía reunirse con Kuceila, cuya vida peligraba. Ya corría el rumor de que había reunido a sus guerreros, a sus fieles djeraoua, y también a los cristianos para ir en su ayuda. Pero en el camino fue interceptada por hordas de bereberes que se batían en retirada. Zoheir y sus caballos los perseguían y los aplastaban, mientras intentaban huir despavoridos de la debacle.

"Fue entonces cuando tomó a su cargo el batallón que se replegaba. Fusionó a esos hombres con los djeraoua y les mostró el camino. Atravesaron bosques y ríos, y escalaron las cimas de las montañas. '¡Adelante, adelante! El pueblo bereber se vengará. Jamás será sometido'. Con su arenga y su mirada los alentaba a combatir. Ella sabía que no haría más que seguir el ejemplo de Kuceila. Primero, debía unir entre ellos a los bereberes dispersos en Ifrikiya, luego a los roums. La orden era una sola: frenar el avance del enemigo bárbaro que, por olas sucesivas, sembraba la guerra santa en las tierras de su pueblo.

"Así, liderando a sus guerreros, llegó hasta el campo de batalla.

Sekerdid retoma el relato que había interrumpido la víspera, sobre la derrota de Mems:

—Los cadáveres yacían dispersos en los matorrales y la tierra desnuda. Tanto los bereberes como los árabes perdieron a sus mejores hombres en la batalla de Mems. A pesar de haber sido herido y derribado de su caballo, Kuceila luchó a brazo partido. Como también peleó Dihya, sin armadura, con la única ayuda de su lanza. Yahvé la protegía, no podía morir: lo había leído en los oráculos. Y los auriba, los branes, los zenetas y los botr recobrarían el liderazgo que Kuceila había perdido. Lo reemplazaría al mando de los bereberes, tanto de los nómadas como de los sedentarios, de los roums y de los cristianos reunidos. Ya había logrado concretar la unión de su tribu djeraoua con los auriba de Kuceila. Pero la carnicería los había diezmado, y Zoheir el musulmán era el vencedor.

Mientras relata los hechos, Sekerdid la ve de nuevo, con la cabeza erguida, arrastrando su túnica hecha jirones, mientras busca entre los sobrevivientes a los oficiales del gran jefe que agoniza, ultimado a cuchillazos. Sekerdid la recuerda furiosa y soberbia, con el puñal en la mano. Sekerdid ibn Roumi, llamado Sekerdid el mauritano, el más estrecho colaborador de Kuceila, relata las hazañas guerreras de su difunto señor. Y pregona el valor y la fe sobrenatural de la mujer que hoy los conduce.

—Los años que separaron la derrota de Mems y la muerte de Kuceila de la batalla del Oued Nini —la venganza bereber—, cuando Hassan el-Ghassani debió emprender su retirada hacia Barka, en Cirenaica, y Khaled ibn Yazid el-Caici, su escriba, cayó prisionero, fueron tiempos de esperanza y de adversidad —prosigue Sekerdid.

Sekerdid calla súbitamente. Entre la multitud, acaba de descubrir la presencia de Khaled. El árabe había entrado con gran sigilo por la puerta trasera de la tienda. Cuando Sekerdid destaca la belleza y el talento de estratega de la nueva reina, sus ojos se topan con los de Khaled. Ambos bajan la mirada al mismo tiempo. Tal vez porque caen en la cuenta, el hombre maduro y el adolescente, el bereber y el árabe, de que son amantes de la misma mujer. Quizá sepan que comparten el misterio de una mujer capaz de dar rienda suelta a sus sentidos por la noche y dirigir ejércitos de hombres en los campos de batalla durante el día.

Sekerdid desvía la mirada y retoma el hilo del relato.

—Mems, la victoria de Zoheir el árabe, nuestra derrota, el regreso a los montes del Aurés.

Bañado en sangre y polvo, Sekerdid se había acercado a la Kahina en el campo de batalla.

—Oh, reina Dihya, la noche cae y nos cubre con su oscuro manto. Debemos reunir a nuestras tropas y regresar al Aurés... —Luego de un silencio, pronunció en voz baja—: Permaneceré a tu lado por el resto de mis días.

Fue entonces cuando la Kahina percibió, como un rayo, su destino. Con los ojos centelleantes, se irguió y elevó su lanza al cielo. "Fiel Sekerdid, veo, vislumbro desde el punto más alto de estas montañas rojas hasta las estepas lejanas y los confines del rubio desierto un gran pacto de unión". Concentrada en su lectura divina, hablaba con lentitud, destacando cada palabra: "Es necesario salvar a nuestro pueblo, a nuestra raza. Hay que unir a los *amazigh* de las ciudades y a los de las tiendas, al bereber con el *litham* y al camellero del Sahara, al pescador de las costas y al pastor trashumante...". Con su lanza roza el hombro de Sekerdid: "Cuento con tu colaboración y tu ciencia".

Al dirigirse en forma directa a aquel que nunca la abandonaría y moriría con ella, se aseguraba el apoyo indispensable para la lucha que pronto debería llevar adelante. Serios conflictos afectaban a las tribus de los branes, y la muerte de su jefe Kuceila sólo los había agravado. Al dividirse una vez más, los jefes exigieron la independencia o el poder. Pero la Kahina, al mando de sus fieles, con Sekerdid a su lado, acabó pronto con la rebelión.

—Así, la Kahina dio vuelta una página de la historia y escribió la primera página de otra, la de su reinado sin disputa —Sekerdid se quedó en silencio.

Esa tarde, ya no hablaría.

Khaled ha escuchado suficiente. Quiere escribir. Volverá la próxima velada tribal, en la que los narradores se sucederán y cantarán infinitas loas a la noble epopeya de los bereberes. Regresa a su tienda, muy cerca de la Kahina.

20

"Llegaron de todas partes…"

Al día siguiente, al anochecer, Sekerdid describió el regreso de los vencidos al Aurés.

—Habíamos atado a los heridos al lomo de los caballos o a los *baçours** de las mulas. Los soldados y los lanceros los escoltaban. Dihya condujo a los hombres a la fortaleza de Thumar. La luz del alba despuntó sobre sus altivas torres. Yo estaba a su lado. Los primeros cedros y alcornoques, y el follaje ahogado tras las nubes parecían suspendidos de los desfiladeros de Tighanimine.

"Los bereberes abandonaron el campo de batalla. Mems y la podredumbre de sus cadáveres habían quedado lejos.

"Dihya está callada. Thumar, donde nacieron ella, Thabet, su padre, y Enfak, el padre de Thabet, se había convertido en la capital de un reino. El emperador romano se lo entregó a sus antepasados para recompensarlos por la colaboración prestada contra los vándalos. Piensa, con una leve sonrisa en el rostro, que los djeraoua, su propia tribu, saquearon, incendiaron y vaciaron los graneros de trigo en toda la comarca para compartir su botín con los vándalos, sus aliados en aquel entonces. ¿Los bereberes eran inconstantes, traidores y desertores? Más precisamente, eran hijos belicosos, inmaduros, coléricos y sin visión de futuro. 'Ese es mi pueblo', piensa la Kahina. En todo caso, siempre serán nuestras las montañas del Aurés. De ahí surgirá la venganza.

"Al atravesar la pesada puerta de piedra de la ciudad, recuerda su primer acto de magia. Ese día no fue niña ni varón, sino simplemente un ser sobrenatural, inspirado directamente por Yahvé. De lo contrario, ¿cómo hubiera podido con una mirada, con una sola mirada, lograr que las puertas giraran sobre sus goznes centenarios y se abrieran en un movimiento amplio y perfecto? Regresaba de cazar en compañía de su padre. Para poder entrar a la fortaleza, era necesario anunciar su llegada a los guardias. 'No, no, espera, padre —le dijo la adolescente a Thabet—. Voy a ordenarle a esa puerta que se abra…'. Dihya permaneció inmóvil, mirándola fijamente con sus ojos verdes. Su padre y el resto de los cazadores se estremecieron ante el milagro. La mirada de Dihya tenía la fuerza de ejércitos enteros de centinelas.

"Por la tarde en las tiendas, relataron —embellecido y multiplicado— el milagro de Dihya. Los djeraoua encendieron fuegos para celebrarlo. Algunos de ellos improvisaron, con sus caballos, una cabalgata triunfal. '¡Viva, Dihya, la Kahina! Ella nos guiará. Su poder es divino'. Tal vez fue ese día cuando obtuvo el nombre y el título, cuando se convirtió en la Kahina. Nadie lo sabe con certeza. Kahina quiere decir sacerdotisa de Dios, adivina. Desde entonces, tenía en sus manos el destino de los djeraoua por el poder de Yahvé.

Sekerdid concluyó el relato del regreso de las tribus sobrevivientes de Mems a Thumar.

—La Kahina volvió al interior de la fortaleza y me dijo: "Debemos reunir a todas nuestras tribus antes de que las primeras lluvias de otoño obliguen a nuestros hombres y sus animales a descender hacia la hierba tierna y los oasis del desierto. El pueblo bereber debe unirse".

Sekerdid no menciona que la noche en que llegaron, ella

mandó a buscarlo. En la tienda real, se convirtieron en amantes. Aunque tímido al principio por su edad y su rango su-
balterno, pronto descubrió la magia que irradiaban sus cuerpos. El general en jefe, que había devuelto a sus tropas a la
fortaleza con la frente bien alta, y la hechicera con poderes
sobrenaturales.

—El tiempo fue pasando —prosigue, soñador, Sekerdid—.
Las estaciones fueron mudos testigos de las migraciones de
los campamentos, los rebaños y las caravanas camelleras en
sus ciclos regulares.

En más de una oportunidad Sekerdid le recordó con sumo
respeto a su reina la imperiosa necesidad de reunir a las distintas tribus: "Espera, espera", le había respondido la Kahina.
"Aún no se oyen los cascos de los caballos árabes". Ella escuchaba el silencio: "Pero, tienes razón, hay que prepararse".

—Una mañana la Kahina pegó el oído a la tierra húme-
da y dijo: "Están llegando. Quieren nuestros bienes, nuestros
guelaat, nuestros bosques. ¡Quieren reducirnos a tristes esclavos!". Y gritando desafiante agregó: "¡Nos uniremos y les
presentaremos batalla!".

Sekerdid y el resto de los jefes de los clanes entendieron,
entonces, que la hora de la unidad había llegado una vez más.
Estaba despuntando el otoño.

Los heraldos transmitieron la noticia de montaña en montaña. El eco transportaba las voces a los valles. Para hacerse oír
hasta los bosques más lejanos y hasta las orillas del trémulo
mar, los jinetes se abrían paso a galope tendido a través de espacios infinitos.

El día del gran encuentro llegó por fin. Ese día, los acantilados, como cuchillas azules, herían los flancos del Aurés y el cielo. Los cedros y las encinas desplegaban sus follajes intactos.

⁓

En todas las aldeas, los djeraoua abandonan sus techos de paja y sus suelos de arcilla, descienden por las pendientes secas y desnudas de las cumbres donde han instalado sus tiendas de ramas de palma. Se reúnen. Las mujeres visten túnicas con cintos de lana. En los brazos y en los tobillos tintinean los brazaletes. Unos cuantos hombres están ataviados a la usanza griega; otros son pastores llegados de las vastas estepas del oeste, envueltos en lanas negras; algunos más, provenientes del Sahara, han llegado vestidos de blanco. Todos se agolpan al pie del escenario desde donde, con su túnica roja y los cabellos sueltos sobre los hombros, su reina quiere hablarles. De los alrededores de Cirta, hombres vestidos con pieles de cabra y túnicas rayadas, de los confines del monte Ferratus,[1] armados con escudos y hachas primitivas, todos se reúnen bajo la ciudadela en la que debe aparecer. Todos los clanes de la tribu de los djeraoua, sus primos, los zenetas, con algunos animales, aguardan, erguidos sobre sus camellos, el mensaje de su reina. ¿Qué quiere decirles?

Llegaron de todas partes, de todos los rincones de Ifrikiya. De las montañas del Aurés al mar. De Hodna a la Tripolitana, de Cartago, de Kairuán, de las costas de Hippone al Sahara hasta los desiertos que limitan con el golfo sirio.

El gran jefe de las tribus del Sahara, desde el desierto hasta los límites nigerianos, vestido con telas oscuras como

[1] Monte Ferratus: hoy, el Djurdjura (en Argelia).

todos sus guerreros, erguido sobre su camello de pelaje deslumbrante, echa una mirada orgullosa a su ejército montado sobre dromedarios.

Fue un largo camino. Recorrieron interminables desiertos, escalaron cumbres, atravesaron desfiladeros y pasos escarpados. Hicieron una pausa en los oasis de las montañas. Sólo el tiempo necesario para recobrar el aliento y refrescarse. Y volver a ponerse en marcha sobre sus camellos y caballos montaraces.

Permanecen inmóviles en un inmenso mosaico de monturas, escudos, hachas y armas incluso prehistóricas, luciendo los colores de los atuendos guerreros. Esperan y se interrogan.

Dihya, sobreviviente de la matanza perpetrada por los árabes en Mems, donde había combatido a pie y empuñando su lanza, debe hablarles. Su jefe Kuceila ha sido asesinado, y ella va a asumir el control de la tribu de los djeraoua. Para reunirlos. Para lograr la unidad bereber.

Quiere acabar con las luchas tribales, entre los zenetas, los branes y el resto de los bereberes, los sedentarios de las ciudades y los nómadas —como ella— del Aurés y los pueblos de Ifrikiya occidental. El enemigo acecha. El nuevo califa Abd el-Malek ibn Merouan desea vengar la muerte de su lugarteniente Okba, hijo de Nafii, quien había regresado para reemplazar al gobernador Abou el-Mohadjir. Se apoderó de enclaves estratégicos como Lambèze y derrotó a los príncipes bereberes de la región de Zab. Incluso, avanzó hasta Taroudant, en los más recónditos confines de Magreb.

Dihya recuerda, como un tributo necesario, el heroísmo de Kuceila el mauritano, jefe de los branes. Al caer prisionero de Okba, fue conducido y tratado servilmente, humillado, golpeado. Debió convertirse al islam para salvar la vida. Pero conservó emisarios y conexiones clandestinas con su tribu, los auriba. Junto a ella combatió siguiendo un plan secreto en el momento oportuno. La victoria de Tahuda. Así fue como Okba y todos los suyos fueron asesinados.

Empleando pocas palabras, con una sobriedad singular, la Kahina evocó también la derrota de Mems, donde encontró la muerte el gran Kuceila.

Dihya se acerca a la terraza suspendida en la cima de Thumar. Calla. El silencio —la guerra, la muerte— desciende bruscamente desde el cielo azul furioso sobre la muchedumbre compacta. Con un leve gesto de la cabeza, echa los cabellos hacia atrás, sobre la espalda. La brisa los ha despeinado. Se ajusta los faldones de su vestido rojo, prendido en los hombros con hebillas de plata, regalo de Tanirt, su madre. Sobre el hombro, desnudo por un instante, exhibe sus tatuajes azules y rojos. El pez de escamas doradas.

Entonces, Aderfi,* el jefe de la tribu maghraoua, rompe el silencio:

—He venido del desierto, desde la región donde la luna magnifica y petrifica; he venido de lejos, mis camellos están exhaustos y ya no pueden cargar a mis soldados. —Se descubre el rostro oculto bajo un paño azul oscuro—. ¿Por qué, por qué nos has convocado, de todos los rincones de nuestras tierras? ¿Qué tienes que decirnos a nosotros, que estamos divididos y separados por los *oueds*, las montañas y los océanos? —Con un gesto imperceptible sobre el cabestro, hace avanzar algunos pasos a su camello. El pelo del animal está manchado de negro—. Habla, por favor, habla, ahora que nos has recordado los desgraciados sucesos de Mems y la muerte de nuestro gran Kuceila.

Dihya desciende un peldaño, cubierto casi del todo por una rama de enebro, y observa el horizonte. Luego, habla. Primero, lentamente, como para explicarse con claridad:

—Los árabes desean privarnos de nuestros espacios, nuestro viento y nuestra vida. Son poderosos. El califa Abd el-Malek les ha dado armas y ha puesto a su servicio un ejército conformado de cuarenta mil hombres. —De pronto levanta la voz, el cuerpo se le tensa, se retuerce—: Veo, sí, veo a un general árabe, el general Hassan. Los bereberes lo exterminarán. Se rendirá ante una mujer, ante mí, porque yo haré pueblos fuertes de los botr, los branes, los auriba y los djeraoua, de las costas del norte, del Souss, del Aurés, del Sahara y del Gadamés. Sí, y lograré la unidad.

En ese momento, un temblor sacude las lanzas, los venablos y las mazas. Un movimiento escandido por un largo murmullo. Casi en trance, con las manos tendidas hacia las copas de los cedros lejanos y la cintura quebrada en señal de ofrenda a Dios, Dihya, la reina de los djeraoua, ha hablado. La Kahina de la Berbería ha anunciado su profecía. Sólo ella conoce el futuro, sólo ella es adivina y maga. Sólo ella es capaz de ver cómo la poderosa armada de Hassan el-Ghassani avanza; sólo ella sabe que esas tribus inconstantes, las de su raza, serán presa fácil para el árabe. Ella ve y oye el avance inexorable del invasor.

—¿Se dejarán matar y dominar los bereberes? ¿Ustedes serán capaces de traicionar a nuestros antepasados, de quienes hemos recibido en herencia el orgullo de las montañas, la libertad de los desiertos y la compañía del viento?

El cuerpo de la Kahina se curva, como el tronco de una palmera bajo el implacable viento sur. Cierra los ojos como un felino encandilado por los rayos de sol. Luego, fija su mirada en un punto lejano. Habla, habla. Se yergue y su belleza estalla ante los ojos de todo el mundo, y profetiza, una vez más:

—Levántense. No permitan que violen ni maten a sus mujeres, torturen a sus hijos y destruyan sus hogares. Levántense, como un solo ejército, como un único frente de combate ante el invasor.

Una vez más, el silencio que desciende desde las cimas obstruye los desfiladeros de Thumar. La Kahina parece regresar allí, a esa cumbre del Aurés donde ha reunido a los hombres con sus monturas y sus armas. Además, ha hablado. Acaba de verse a sí misma, como en un espejo que deforma su imagen. Le han cortado la cabeza. Sus cabellos tan largos, tan rojos, están cubiertos de sangre. La visión le provoca miedo. Se calla. Uno de los guerreros, hipnotizado, pregunta:

—¿Pero quién será nuestro jefe, oh, bella Kahina? ¿Quién nos guiará?

—Yo, la Kahina —responde la reina bereber.

Después de unos murmullos, se produce un largo silencio.

—Sí, yo los uniré, judíos, bereberes, cristianos, y los conduciré a la victoria.

—¿Tú? ¿Una mujer? Eres judía y profetisa, ¿por qué tú?

—Porque soy la reina de una tribu, los djeraoua, y mi poder se extiende sobre los jefes de las tribus, en la confederación. Reino sobre todos, porque conozco el futuro, sé quiénes vencerán y quiénes morirán. —La Kahina baja la mirada un breve instante antes de agregar—: Y sé que el destino de la Berbería está ligado a mi vida.

El ruido de cascos y el relinchar de los caballos apagan los últimos murmullos. Los dromedarios se agitan y braman al unísono. Un compás de espera marca la vacilación de la extraordinariamente vasta asamblea que ha venido a escuchar al oráculo.

—Despierten. Los aguarda la parte del botín que les corresponde: la gloria, la fortuna, la reconquista de nuestras tierras perdidas y el orgullo de nuestros antepasados.

Justamente, tal vez sea ese orgullo lo que les impide dejarse llevar, dirigir y dominar, en resumidas cuentas, por una mujer. La Kahina arenga a su pueblo.

—Despierten —repite—. Les aseguro que los bárbaros

ya están aquí. Los he visto claramente, lo sé. Yahvé me lo ha dicho.

Un inmenso clamor se eleva entonces, que se transmite de roca en roca y de llanura en llanura. ¡Fuera el enemigo! ¡Hay que destruir al ejército de Hassan el-Ghassani! La Kahina nos guiará. ¿La Kahina? ¿Una mujer? Una reina, una deidad, un ser sobrenatural que conversa con las estrellas, con el agua, con los dioses... Con Yahvé.

Cuando llega su turno, cada jefe, en señal de fidelidad, rompe filas y besa el hombro tatuado de la Kahina.

La Kahina ha vencido.

21

La Kahina corta la ruta del invasor

Después de la toma de Cartago, en el año 695, los ejércitos árabes se creían invencibles y en condiciones de conquistar toda Ifrikiya. Ignoraban que la Kahina sumaba sus dotes de gran estratega a su gran carisma. Sabía —en la cabeza le retumbaba el ruido de los cascos árabes— que las tropas de Hassan se lanzaban al ataque de las posiciones bereberes.

El Ghassanide, un tanto confiado, ya había dispersado sus tropas. Destinó una parte a Benzert, Cartago y otras plazas fuertes. Un día, le dijo a su sobrino Khaled:

—Nos pondremos en marcha al alba. —Y agregó, en tono burlón—: Ya veremos si los oráculos le han advertido a la hechicera la suerte que le espera.

Khaled recuerda la luz blanca de los primeros rayos de sol. Esa mañana cabalgaba al lado de Hassan, a la cabeza de sus jinetes.

—¿Ves la superioridad de nuestros caballos, Khaled? A pesar del calor, resisten, avanzan. —Palmea levemente el cuello de su montura, que alza la cabeza relinchando y acelera el paso—. ¿Ves cómo sus cascos se aferran al suelo? Son ligeros y fuertes...

—Mahoma hubiera dicho que los caballos fueron hechos de viento —dice el sobrino letrado.

Khaled también recuerda cómo los conquistadores atravesaron los llanos de la Bizacena, dejando atrás Tacapas, Capsa y Kairuán, cruzaron los *oueds* y los bosquecillos de alcornoques y escalaron las primeras pendientes del macizo montañoso.

Por su parte, la Kahina no esperó el avance enemigo. Descendió de los montes del Aurés y condujo a las tropas a su encuentro. Su objetivo era eliminar cualquier puesto que pudiera servirles de trinchera. E impedirles utilizar la ciudad de Baghaia —ubicada en la ruta del conquistador— como reducto para la resistencia. Entonces, decidió destruirla por completo e incendiarla. La bella Baghaia, la alegre Baghaia. La Baghaia de los vergeles sembrados en una llanura bañada por *oueds* generosos y canales de irrigación que los romanos hicieron descender desde el Aurés. La Baghaia de las fuentes de agua fresca detrás de las murallas. La Baghaia que Bizacena hizo poderosa, centro de concilios sabios en su célebre basílica. Desde lejos, se podía percibir el cerco bizantino, la fortaleza de torres redondas o cuadradas, dominada por su atalaya. Esa ciudad construida como un fuerte por Justiniano, al pie de la ladera norte del Aurés y que Roma embelleció con especial esmero, debía arder en llamas. La Kahina lo había decidido. Entonces Baghaia sería incendiada y reducida a cenizas.

Llegó el momento de reunir a los hombres. Exultante, la reina mide su poder. Los auriba, los haskoura, los masmouda y los sanhadja, los branes y los botr, las confederaciones y las tribus de la montaña y del llano, y de los confines del Sahara y de las riveras de los *oueds*, respondieron a su llamado.

—Eres la reina indiscutida del ejército bereber que supiste reunir —murmura Sekerdid a su lado, mientras pasa revista a la tropa.

Baghaia se consume a lo lejos, la ciudadela ya no servirá de refugio al invasor.

—Hassan quería Baghaia. Olvida que tengo el poder de descubrir sus planes. Quiere nuestros bienes y nuestras ciudades. Quemaremos todo, entonces. Todo.

Como siempre, la Kahina ha congregado a los jefes de tribu. La gran convocatoria exige unidad a la hora de tomar decisiones. Todos están allí, a caballo o montados en sus dromedarios. Ella les habla, los une la misma excitación.

—Aniquilaremos hasta el último musulmán de nuestras tierras.

Agizul,* que acaba de llegar de las arenas del desierto con sus guerreros velados, le besa el hombro en señal de fidelidad. Los caballos pisotean el suelo irregular y los guerreros inmóviles escuchan a su comandante en jefe. Una mujer va a desbaratar el plan de conquista del gran ejército árabe en la tierra africana. La suya. Una mujer, pero también una diosa, una profetisa, cuyo poder supera cualquier estrategia de combate.

—¡Y ahora, en marcha! —La Kahina hace girar sobre sí mismo a su caballo. Erguida sobre la grupa blande el puñal y, con los cabellos en desorden y el rostro tenso, como a la espera de alguna revelación, repite su grito—: ¡Y ahora, adelante!

Como en una danza ecuestre y una armonía sorprendente, los guerreros retoman el grito al unísono, levantan las armas y espolean a sus monturas.

A través de los desfiladeros hasta el monte Aspis, en el llano y en el lecho de los *oueds* secos, liderando el cortejo junto a Sekerdid y algunos jefes de tribus, la Kahina muestra el camino, al tiempo que se revela ante ella el destino de su pueblo. Los hombres conforman un solo cuerpo con sus monturas, caballos bereberes, de cascos montaraces, grupa esbelta y crines largas y espesas. Según dicen, hasta el invasor, dotado de caballos árabes vigorosos y resistentes, reconoció su supremacía.

22

La victoria de la Kahina en Oued Nini

$\sim$

Al caer la noche la tropa llega a orillas del Oued Nini. Como una guerrera inspirada, la Kahina organiza a los hombres y a sus monturas. Ordena a sus guerreros ocultarse en los hoyos, montículos, matorrales y arbustos de ese terreno que conoce a la perfección. Silenciosamente, los bosques cobran vida y se pueblan. Es de noche. Ahora, es necesario impedir que los atacantes accedan al río. Sabiéndose sostenida por sus tribus y sintiendo el poderoso latido de la victoria en el pecho, ejecuta su esquema de guerra preferido. El utilizado en los combates bereberes, nómadas o sedentarios. El del gran Kuceila. Sekerdid la precede. Pide a los camelleros que se dispongan frente al enemigo en varias hileras cerradas. Los pueblos del oasis y del Atlas conocen esa táctica: los camellos arrodillados en círculo para obstaculizar el avance del enemigo, al que, además, aterrorizan por su tamaño. Se trata de ofrecer a Hassan un frente más sólido y más resistente que la muralla de una ciudadela.

—Y ahora, dispérsense, ocúltense entre las patas de sus dromedarios.

Con gran satisfacción, observa la metamorfosis. Un ejército de sombras de la que sólo emergen densos montículos, ocultos en los pliegues de la tierra. El hombre parece haber desertado.

En la oscuridad, quienes acechan se han dispersado. Comienza la espera. La luz del alba ilumina un paisaje extrañamente calmo. Nada se mueve. No se oye un solo ruido. La espera continúa. La espera que acaba con las primeras luces del día, cuando se divisan las señales de los centinelas de la margen opuesta del *oued*.

Al acercarse a Baghaia, Hassan divisó a lo lejos enormes columnas de humo que teñían el cielo. Baghaia yacía destruida y devastada. "Qué espectáculo sobrenatural y monstruoso", señaló Khaled. Entonces, Hassan reunió a sus tropas a orillas del río Meskiana y se dirigió hacia Oued Nini, a orillas del lago, al norte de Khenchala.

Río abajo, la Kahina mide al rival y prepara la ofensiva. El silencio y la calma, piensa Hassan, le aseguran la ausencia del enemigo. Avanza y hace avanzar a sus tropas entre las grietas y la maleza, sin toparse con la menor resistencia, observa Khaled a su lado.

Luego, como en respuesta a una señal invisible, un resplandor aparente sólo para los iniciados, hombres y animales se alzan al unísono. Como murallas vivas, murallas que se mueven y luchan. A los relinchos de los caballos y los bramidos de los camellos, se suman los gritos salvajes de los guerreros. Los árabes se estrellan contra los escudos de los taludes y matorrales que de pronto cobran vida. La batalla se convierte en una matanza en la que se degüellan, destripan y empalan unos a otros. La sangre corre a raudales y transforma esos arbustos en armas móviles. El destello de las lanzas y los venablos ilumina la tierra teñida de rojo. Los atacantes combaten con ferocidad. Tienen miedo. ¿Esa mujer no habrá embrujado a las lanzas, a los hombres, a la naturaleza misma que se puso en marcha y no cesa de engendrar para ella nuevos combatientes aliados, que surgen de los arbustos y de las armas?

Alá todo lo puede, pero las brujas hacen lo suyo…

Ella, la gran hechicera, pero también la estratega sin par, combate como poseída por una fuerza sobrenatural, inexorable. Vestida con su *haik*, con el venablo en la mano y cabalgando de pie en su montura, golpea, aúlla y mata. Khaled recuerda haberla visto en el campo de batalla, con una sonrisa casi demencial en los labios y los ojos desorbitados. Cuentan que Hassan dijo más tarde, al emprender la retirada:

—Esa mujer no es un ser humano, su ascendiente sobre las tropas, su poder y su ferocidad hacen de ella, sin lugar a dudas, la gran Kahina.

Porque el ejército árabe más poderoso de todos los tiempos debió retirarse.

Hassan pronto comprendió que debía salvar los restos de su tropa. Dio la señal. Pero la retirada sobrevino luego de la derrota. Sólo le queda reunir a sus hombres y huir. La Kahina le pide entonces a Sekerdid que reorganice las tropas y acorrale a los vencidos.

Así, los caballos bereberes, deslizándose contra las laderas de las colinas y fustigando los campos, dieron caza a sus primos enemigos, los caballos árabes.

Así, durante varios meses, fueron perseguidos en Bizacena, más allá de Tacapas, en dirección a Trípoli. Hasta Barka, donde Hassan recibió, proveniente de Damasco, la orden de Abd el-Malek, el califa, de instalarse allí a la espera de nuevas instrucciones.

A la humillación de la derrota, se sumaba la herida del corazón. Hassan no había podido encontrar a su joven sobrino, su brillante escriba, Khaled ibn Yezid. Estaba a su lado y, de pronto, había desaparecido. El muchacho se mezcló con los guerreros para ser testigo directo de lo que luego consignaría en sus cuadernos, se lamentaba el general árabe. En vano pasaba revista a los sobrevivientes de su audaz ejército.

Un afecto verdadero unía a los dos hombres. La derrota separaba a Hassan, el pigmalión, de Khaled, el prodigio. ¿Para siempre? Decían que la Kahina era generosa después de las victorias. ¿Trataría con indulgencia al mejor de sus prisioneros, a Khaled?

Hassan envió espías al Aurés en busca de la confirmación. Al mismo tiempo, se dedicó a la construcción de bellas plazas fuertes y castillos que, con el correr de los años, se extendieron por toda Cirenaica y fueron conocidos como los *ksour** el-Hassan.

Cuando meses después Hassan se instaló en Barka, un emisario le llevó un pan. Una gran hogaza de pan dorada. Hassan la abrió y la desmigó con cuidado. En medio del bollo encontró oculto un papel vitela enrollado con delicadeza. Khaled había escrito: "Cada día que pasa trabajo en pos de la venganza de Mahoma contra los infieles. El pueblo de la Kahina debe someterse y ella, la Kahina, desaparecerá. *¡Bismillah!*".

23

El regreso al Aurés

≈

Después de la contundente victoria en Oued Nini y la persecución del enemigo hasta los límites de Tacapas, la Kahina comandó a las tropas cargadas con el botín de guerra. Retomó el camino hacia sus montañas, en el Aurés.

Khaled, el hijo adoptado, cabalgaba entre Yazdigan, hijo de Zenón el griego, e Ifran hijo del detestado Aberkan el bereber. Ifran no llegaba a comprender por qué su madre había violado el pacto e incluso la ley bereber al entregarse de ese modo a un acto afectivo que le era extraño. La emoción propia de los seres humanos le es ajena, pensaba Ifran. Sólo conoce el éxtasis de los vaticinios y el poder de una intuición fuera de lo común, cualidades que hicieron de ella una reina, la misma que lideraba hoy a sus tribus unidas. Por otra parte, ¿amó alguna vez a sus hijos? Tal vez Yazdigan le llegó a interesar un poco, porque era el hijo de la juventud y el amor. Y, de tanto en tanto, se había preocupado por su educación de buen guerrero.

Pero él, Ifran, ¿qué había recibido de esa madre lejana y orgullosa? Sólo vagas exhortaciones a la fidelidad al pueblo bereber. La había visto acariciar con la mano la frente de Khaled, desde su captura, para limpiarle la sangre y el polvo. "Nunca me tomó la mano ni me acarició la frente de ese modo mientras era niño", se dijo. Esa mujer no lo amaba, ni amó nunca a sus hijos. A la mística política a la que servía, totalitaria, con sus dones mágicos —¿acaso no la había elegido

Yahvé para expulsar al árabe de la Berbería y conducir a su pueblo a la unidad?— sólo agregaba, en forma excepcional y de modo caprichoso, el amor carnal. Ifran no osaba pensar siquiera en el amor del corazón. Su crueldad, legendaria hasta el día de hoy, le había permitido ser la primera entre los primeros, en un mundo de jefes hombres, en el que todos querían ser el jefe del otro.

La Kahina, tan poco madre y tan poco misericordiosa, se había sometido al ridículo simulacro de la lactancia para salvar a ese príncipe árabe. Para salvarlo o para conservarlo a su lado, en una relación que Ifran no se atrevía a calificar de incestuosa. Por otra parte, ¿quién era ese apuesto joven de ojos negros como el azabache y cabellos oscuros, que brillaban como si la luz de la luna los estuviera alumbrando?

—¿Eres el hijo de Hassan? —le pregunta Ifran, acercando su caballo al de Khaled.

—No, soy su escriba y lo acompaño en las batallas.

No especifica que es su sobrino. Su destino es demasiado incierto por el momento. No sabe cuál es la razón íntima por la cual la Kahina lo ha salvado. Y adoptado, circunstancia que constituye, ante todos, un escudo invencible.

—¿Has escrito el relato de la toma de Cartago y el de la estadía de Hassan en Kairuán? Dicen que ha embellecido tanto esa ciudad...

Khaled le describe la pureza, en la mezquita de Kairuán, del *mihrab* en el que los grandes imanes deberían sucederse. Y la del *minbar*,* adonde se acercaban los más sabios a predicar.

Yazdigan todavía no ha dicho una palabra. Escucha a su hermano. Es el silencio que provoca el desconcierto. Esa mujer a quien adora, esa madre a la que admira —es la más grande, la más bella, la enviada del destino para construir el destino de los otros—, ¿qué camino insondable transita? Aunque ningún plan es insondable para la Kahina, que puede vislumbrar el futuro y modificarlo a tiempo, si fuera necesario. Yazdigan valora la prestancia de ese joven noble árabe y su actitud orgullosa después de la derrota. ¿Pero basta con haber sido adoptado por el clan bereber para hacer de él un fiel? ¿Se puede, en verdad, al saborear sobre el pecho la pasta de cebada ritual, suprimir una cultura y una fe para entregarse a otro dios, a otra diosa? Él, Yazdigan, lo ayudará, porque Dihya había decidido su destino. Le enseñará el fervor y la grandeza bereberes. A cambio, esperaba obtener de Khaled un poco de ese afecto fraternal que le había faltado con Ifran.

—Te daremos un caballo árabe; mi madre lo ha decidido. Tenemos varios en nuestro botín —le dijo a su nuevo hermano—. Pero, sabes, el pequeño caballo bereber, que parece ser más pesado, se adapta mejor a nuestras tierras montañosas.

Khaled le agradece y esboza una sonrisa. ¿Qué sucederá cuando la tropa llegue a Thumar, en el nido de águila de la hechicera? Lo que más quería en el mundo era vivir. Y vive. Más tarde descifrará el misterio de su inesperado destino. No fue ejecutado ni hecho prisionero, sino promovido al rango de hijo de la tigresa bereber, de la mujer que ha hecho fracasar la guerra santa de los suyos e infligido una dura derrota a su tío, el erudito Hassan ibn Noman el-Ghassani. Se decía que era astuta y hábil, y que no tomaba decisiones antes de haber sopesado todas las posibilidades. Una bruja, por cierto, ¡pero qué bella era! Después del mortífero enfrentamiento de Oued Nini, la vio montar a su caballo Abudrar ("el montaraz, en nuestra lengua", le había explicado Yazdigan), cubierta con una túnica roja, altiva como un ícono lejano, los largos cabellos color del fuego ondulantes sobre la espalda, acompañando el balanceo del caballo con el grácil movimiento de su cuerpo.

Ella se acercó a él, una tarde, después de la adopción. Y le habló. Khaled debió rechazar la luz irresistible de sus ojos

verdes para escucharla. Su voz desmentía la imperiosa voluntad de su mirada, capaz de subyugar al más fuerte. Con gran
dulzura, le dijo que le parecía joven, apuesto y noble. Al hablar, estiraba su cuerpo esbelto y firme. Khaled, fascinado,
inhibido, permanecía inmóvil. Se sintió avergonzado, y se
alejó de ella lo más rápido que pudo.

Sekerdid observa a la Kahina. La reina del Aurés, su reina.
Desde la victoria de Tahuda, su señor Kuceila le ha entregado su vida. Cuando Kuceila fue asesinado en la batalla de
Mems, unos años después, Sekerdid se convirtió naturalmente en el primer consejero y el fiel lugarteniente de la Kahina.

La mira pero no quiere verla. Quiere olvidar las noches
que ella le había obsequiado, el encuentro de sus cuerpos y
sus conciliábulos hasta que los primeros rayos de sol atrave-
saban con sus flechas de luz la tienda real.

La mira pero no puede reconocerla. En esa mujer, hoy
habitada del todo por un solo proyecto, la destrucción total
de su país con el fin de alejar al árabe conquistador, ya no encuentra al ídolo de las tribus bereberes. A esa mujer con la
que se aliaron, así como al destino que les predecía, la que
persiguió la unidad de los nómadas botr y los sedentarios branes, la que se convirtió en escudo contra el invasor, la mujer
cuyas misteriosas profecías se volvieron realidad.

Sekerdid la recuerda en sus momentos de éxtasis, casi
poseída por sus dotes de vidente. Se alzaba, grande y bella,
observaba un punto en el horizonte, inmóvil, después agita-
ba la cabeza en un movimiento circular, primero con lentitud,
luego cada vez más rápido, sus cabellos rozaban el suelo y sus
ojos del color del lago viraban al verde oscuro del océano agi-
tado. No se sabe si eran demonios o artesanos de sus vaticinios los que la habitaban. Se golpeaba el pecho y se quedaba

sin aliento. Y entonces, bruscamente, se paralizaba. Se callaba, respiraba y parecía que tocaba las estrellas con las manos y luego leía en la grava.

¡Cuánto la había admirado y venerado Sekerdid en esos instantes! La reina maga, la diosa que construía el futuro...

24

El complot y la traición de Ifran

*K*haled cabalgaba solo por los senderos escarpados, lejos del campamento djeraoua. Había espoleado al caballo y, fusionándose con el animal, saltaba entre los altos pastizales. El alazán de patas largas no vacilaba y escalaba los peñascos con firmeza. Por más que Dihya quisiera demostrar lo contrario, el caballo árabe no puede compararse con el bereber, un animal robusto y retacón. Es verdad que los cascos del bereber se adhieren a la tierra, pero nuestros corceles tienen el porte y el nervio que los incita a alzarse y correr a gran velocidad, elevar las patas delanteras en una curva armoniosa y sortear los obstáculos, las rocas y los *oueds*.

Disminuyó la marcha, tiró apenas de las riendas. Su montura y él avanzaban, erguidos y a paso regular, entre filas de cedros. Debía hallar en ese bosque el lugar del encuentro. Allí donde él volvía a ser el musulmán comprometido con su guerra santa. *"¡Bismillah!"*, murmuró el nombre de Dios, y otro hombre a caballo se acercó al lugar. De lejos lo había reconocido.

Ifran detesta a Khaled. Al que ha convertido a su madre en un ser monstruoso, que busca en los brazos de su hijo un placer inagotable. También detesta a su madre. Ha decidido su muerte. Había intentado que su hermano Yazdigan se uniera al plan. Sin embargo, para Yazdigan, no debe juzgarse a la Kahina, la elegida del pueblo elegido, la que ve el futuro invisible y construye un país para el pueblo que ha unido.

—¿Te parece unido? —preguntó Ifran, socarronamente—. Ciertas tribus ya han decidido sumarse a las huestes de los vencedores de Cartago. Quieren alejarse de la decadencia bereber.

Yazdigan montó en cólera:

—Nuestras tribus han cambiado a menudo de fe y de ley, pero nunca antes conocieron un destino similar —y agregó en voz baja—: Date cuenta de que tenemos una suerte milagrosa, el de ser liderados por una criatura de Dios, que le habla. —Ifran movió la cabeza—. Y que nos transmite Su palabra —concluyó Yazdigan.

Decididamente, su hermano mayor seguía atado a esa demente que había cortado la cabeza de su padre de un sablazo y transformado a su país en un infierno apocalíptico.

Por cierto, la ley de las tribus le impuso a la joven Dihya un marido, Aberkan. Y Aberkan hundió las cosechas bajo el peso del impuesto y obligó al pago de sumas onerosas a las regiones bajo su poder. Tiranizó, violó, despreció y maltrató a su esposa. Era bien sabido.

Pero Ifran desea minimizar las fechorías de su padre. Sostiene ante su hermano y su círculo íntimo que Aberkan, al apropiarse del poder de la Kahina en primera instancia, lo salvaguardó. ¿Era de esperar que, una vez muerto Thabet, el jefe, y Kuceila, el valiente, ella demostrara sus dones sobrenaturales y que fuera alabada como una santa bíblica por los zenetas y los botr? El hecho de que su tribu djeraoua la coronara y reconociera su poder parecía lógico porque de ahí provenía. Pero los guerreros del Tell y los hombres con velo del desierto, los de las ciudades sedentarias del Aurés y los nómadas de Bizacena, ¿cómo pudieron renunciar a su orgullo y aceptar como líder a una mujer, la Kahina?

Ifran está dispuesto a apoyar la victoria de Hassan ibn Noman el-Ghassani. Y a traicionar. Así, su madre se verá obligada a renunciar a la lujuria en la que se revuelca. Desde el momento en que adoptó a Khaled como hijo y se enamoró de él, para Ifran pasó a ser una prostituta incestuosa, que no podía haberlo parido y que no podía ser su madre.

Por su parte, el vínculo familiar quedaba disuelto. La amenazó, anunciándole la defección de todas sus tribus, hasta las más fieles.

—Has atentado contra la costumbre sagrada de nuestros antepasados. Ten cuidado. Dividirás a tu pueblo y te hundirás con él.

Había imaginado alguna vez el cuerpo de su madre, dueño de una juventud diabólica —sólo la brujería podía haber dotado a la Kahina con esa belleza eterna—, haciendo el amor con otros. Ese fantasma lo lastimaba, y quería aniquilarlo. Él hubiera podido protegerla de los hombres, y tomarla entre sus brazos. No sabe cómo, pero a su lado hubiera estado segura.

—Hablas de nuestra madre como si fuera para ti una mujer, una *tamazight* cualquiera —le decía a menudo Yazdigan—. E incluso, como si fuera una compañera —agregaba, soñador.

Sin embargo, ya no sueña. A pesar de sus dotes fuera de lo común, la Kahina es mortal. Debe morir. Ifran ya había desistido de convencer a su hermano, que le oponía la roca de su amor filial.

Yazdigan quiere preservar la paz en su campamento e Ifran quiere destruirlo. No llegarán a convertirse en hermanos enemigos, pero tomarán caminos opuestos.

Ifran descubrió que Khaled, el amante loco, el esclavo por voluntad propia —¿si no, por qué no huía en ese caballo árabe que la Kahina le había regalado, al mismo tiempo que la libertad?, ¿por qué volvía a encontrarse todas las noches con su madre adoptiva y su voluptuosidad?—, Khaled, entonces, se dedicaba desde hacía unos cuantos días a la fabricación de ciertos panes. Hablaba a menudo con Adal,* el panadero de la tribu. Y Adal hablaba con él. Mantenían largos conciliábulos en voz baja todas las semanas. Un día Ifran lo siguió y, oculto entre las sombras, vio cómo Khaled palpaba los panes redondos, los sopesaba, tomaba uno, lo olía y lo colocaba sobre una piel de cabra, lejos de los demás. Luego, introducía un objeto, justo en el centro, donde la masa levaba más. Ifran acabó por identificar aquel objeto. Un simple rollo de papel vitela. Simple como un mensaje, como la traición, como la muerte anunciada de la Kahina.

El panadero le entregó, ese día, el pan fatal a un espía al servicio de los árabes. Un sedentario que nunca aceptó destruir su casa y quemar su cosecha, conforme a las órdenes de la Kahina. Entonces, ella lo mandó encarcelar, pero él pudo escapar hacia otras tierras. Y se juró acabar con la hechicera.

Ifran se acerca al árabe de inmediato.

—Te saludo, hermano Khaled —dice el jinete.

—No me llames hermano, tú que eres un traidor.

El traidor estalla en carcajadas.

—¿Acaso no somos hermanos desde que mi madre te amamantó, y te convirtió definitivamente en su hijo? —pregunta, sarcástico.

Khaled se calla. Ifran está en lo cierto.

—Un hijo incestuoso —insiste, una vez más, burlón—. Dices que haces la guerra en nombre de tu Dios y te revuelcas con mi madre.

Khaled lanza su caballo contra el de Ifran. Pero este último, más veloz, esquiva el golpe y se aleja, dibujando un semicírculo. Ifran se agacha y escupe entre los pastizales que lo rodean.

—Sólo eres un musulmán en manos de una *cheikha* judía.

—¿Quién está en manos de quién? —pregunta el musulmán con una sonrisa artera—. A su lado, preparo su final todos los días, desde hace varios años —replica, mirándolo a los ojos—. Tú, Ifran, su verdadero hijo, me ayudas a lograrlo. —Y añade por lo bajo—: ¿Acaso no nos hemos aliado para mantener informado a Hassan el Ghassanide y enviarle toda la información que necesita?

—Es verdad —acaba por reconocer el bereber.

—Pero tú —retoma Khaled—, ¿cómo puedes desear la desgracia y la muerte de la Kahina, de tu madre? Tú actúas como un monstruo, y yo, como un soldado de Dios.

Sin embargo, no se había encontrado con él como de costumbre, a escondidas de todo el mundo, para continuar una discusión cien veces comenzada y cien veces acabada. Siempre se iba con detalles sobre el movimiento de las tribus, su desunión cada vez más pronunciada, su cólera y su desencanto ante la tiranía de su reina. Y sobre la deserción de muchos. Indicaba mediante sofisticados mapas la ubicación de los campamentos, dividía en zonas el pergamino con trazados de rutas, lo atravesaba con viñas que caían en cascadas y lo sombreaba con bosques de olivos.

Verificaba también con sumo cuidado el emplazamiento de los *guelaat* para las provisiones de trigo y de aceite, vitales para cualquier ejército de ocupación.

Las tribus depositaban sus riquezas en esos graneros fortificados, en el corazón mismo de las ciudadelas excavadas en la roca. En el Aurés o en el sur de Bizacena, desde los confines de Trípoli hasta el sur de Taroudant, había numerosos depósitos de víveres y joyas. Los aurasianos, seminómadas que abandonaban precipitadamente sus aldeas durante nueve meses al año, ya habían construido sus cámaras de reservas comunales. Tanto al regresar como en la estación árida o en la de las invasiones, Khaled había visto en aldeas enteras el mismo paisaje: sobre la terraza de tierra apisonada, se secaban las frutas y las legumbres. Damascos, dátiles, bananas previamente seleccionadas. Pero era en lo alto, sobre las cumbres inexpugnables, o en las profundidades de la montaña misma, donde se hallaban las verdaderas cajas fuertes —los *guelaat*—, como las celdillas de una colmena, superpuestas en total armonía.

El otoño veía desfilar las mulas, los camellos y los asnos con los *baçours* desbordantes. Para los odres de aceite, se reservaban cavidades más estrechas. Las caravanas en trashumancia depositaban en los *guelaat* sus riquezas y descendían hacia los campos de pastoreo más hospitalarios. Los graneros públicos eran custodiados por hombres armados hasta su regreso.

"Los poetas han cantado loas a África, granero de trigo de Roma y Apulia, a los tranquilos vergeles de Ifrikiya. Los comprendo, pero también cantaré loas a la ingeniosidad y la armonía del sistema de los *guelaat*", escribió Khaled en sus notas de campaña.

≈)

—¿Qué novedades me traes hoy, Ifran? Ya ha pasado una semana...

—Querido hermano —Ifran destaca irónicamente la palabra—, mi querido hermano, puedo indicarte la posición de ciertos pozos. El agua para los hombres y los animales es...

Ambos se bajaron del caballo y se adentraron en la espesura del bosque. Ifran evalúa las distancias, indica los puntos cardinales y precisa el lugar ante el pedido de Khaled, quien toma nota en sus cuadernos.

Cuando vuelve a montar, tiene lo esencial del mensaje que enviará esa tarde a su tío. Pero primero, era necesario pasar por la tienda de Adal, el panadero, y encontrarse con el emisario que llevaría el pan prometido. El pan que ocultaría en su miga el preciado pergamino.

Ese día, escribió a su tío: "En cuanto le llegue mi mensaje, queme etapas. La victoria es suya y no lo abandonaré. Así será, si es la voluntad de Dios el Todopoderoso".

Así, durante años, Khaled mantuvo informado a su señor. Acabó por organizar una verdadera red de cómplices: una decena de *imazighen* deseaban poner fin al poder de su reina, poder que se había vuelto absoluto. Ya no creían en Dios-Yahvé. ¿Creería ella misma todavía? Algunos empezaron a adorar de nuevo a Gurzil y los otros ídolos; otros estaban dispuestos a convertirse al islam no bien resultara vencedor. También ponían en duda las profecías de la Kahina. ¿La adopción de Khaled formaba parte de algún plan de guerra? ¿Cuál? ¿Pretendía acercarse a los árabes? Sin certezas, alejados de las decisiones, seguían a su nuevo hijo, Khaled, y se aliaron a él para traicionarla. Se turnaban para oficiar de emisarios y llevar el pan a Hassan. Y de muy buena gana, pues Khaled retribuía generosamente sus servicios con el oro que le daba la Kahina.

Una vez más, uno de ellos va a entregarle la hogaza. El general árabe sabe cómo abrirla delicadamente, para no romper el preciado mensaje. ¿Khaled sentía que el complot lo redimía, aunque fuera un poco? ¿Volvía a encontrar así sus coordenadas, las huellas que lo acercaban a su campamento? Al traicionar a esa mujer que lo encadenaba a su cuerpo y al mismo tiempo lo dejaba libre, ¿no demostraba sin lugar a dudas su fidelidad a la causa?

Casi sin quererlo o advertirlo, se encuentra una vez más en el sendero escarpado que conduce al campamento bereber. A la tienda de su reina. Nada lo obligaba a hacerlo. Pero su caballo, acostumbrado a ese camino, lo había seguido sin que su amo se lo hubiese ordenado.

25

Las profecías trágicas de la Kahina

En los años que siguieron a su victoria de Oued Nini, la reina del Aurés se convirtió en la soberana de toda Ifrikiya. Al principio, generosa y atenta a las necesidades de su pueblo, fue admirada y obedecida. La divina, la adivina inspirada protegía y confirmaba la victoria de sus tribus. Veló por las cosechas, las reservas de grano y de aceite en los *guelaat*, esos almacenes generales del pueblo; el acopio de miel de las colmenas en las celdillas abiertas en la piedra roja y verde de las montañas. Supervisó las trashumancias y prohibió cualquier actitud invasora de una tribu en el territorio de otra. Reglamentó con rigor el derecho de cada una al agua de los ríos y los canales. "La ley soy yo", acostumbraba decir. Y todos estaban de acuerdo. Aplicaba los *kanouns** de la justicia y del bien general. Después de vencer en la guerra, construía la paz.

Hoy, la fiesta ha terminado. La sequía hace estragos. La cosecha es pobre y el agricultor, miserable. Cuatro años después de la derrota aplastante de las tropas de Hassan y la unidad del pueblo bereber, la Kahina debe enfrentar una hambruna generalizada. Acude a las reservas y vela por una distribución equitativa. Obedeciendo sus órdenes, Sekerdid ya había requisado todas las reservas: trigo, cebada, miel, aceite, dátiles, e inventariado las de los graneros públicos. Sobre los guerreros djeraoua recaía la responsabilidad de contar, encerrar y custodiar el ganado.

La Kahina preside en persona el reparto.

Vestida con un *haik* oscuro, el rostro crispado y la mirada dirigida a las cumbres, asegura al gentío reunido que la distribución será pareja para todos.

—Yahvé no nos abandonará; nos pone a prueba... Los enebros volverán a florecer, el trigo resplandecerá en su dorada abundancia y los *oueds*, con el caudal enriquecido por los torrentes del Aurés, regarán otra vez nuestros campos.

—Su voz parece lejana. La tribu ya ha llamado a Anzar y suplicado a Yahvé que cubra el cielo de nubes y lluvia—. Pueblo bereber, nunca eres tan noble como en el sacrificio. ¡Resiste!

La arenga no logra consolar a los hombres y mujeres muertos de hambre. Dudan. Tal vez la Kahina ha perdido su poder sobrenatural. Justamente ella, que hasta entonces los había conducido a la unidad, las victorias y la prosperidad. Había unificado, reinado y dominado. ¿Pero qué sucedía ahora? Abatidos, marchitos y harapientos, aguardan.

Antes de cumplirse el tercer aniversario de la victoria de Oued Nini, la Kahina siente en su interior el caos que le anuncia nuevas profecías. Va a recibir ciertas revelaciones, lo sabe. Deberá leer en ellas su futuro y el de su pueblo.

—Cuando miro hacia Oriente, siento en la cabeza palpitaciones sordas —le confía a Sekerdid.

Más de una vez, Khaled se había burlado de sus predicciones según los eclipses, que la poseían en los años pares, cuando llegaba el tiempo de las cosechas, y se marchaban con las abejas hacia sus panales al año siguiente. Desde el primer mensaje a Hassan, en el que le comentaba que era un prisionero bien tratado, en permanente lucha contra el infiel, nunca había olvidado comunicar con regularidad los acontecimientos importantes. En ese período crucial, necesitaba información sobre la próxima batalla. Desde hacía un tiempo, Ifran no parecía comprometido con las cuestiones militares.

Khaled quiere introducir en el pan destinado al general árabe, y según el mismo procedimiento, los planes de la nueva estrategia bereber. Aunque para ello deba fingir que cree en los poderes adivinatorios de la Kahina y en sus oráculos. En su pergamino delgado como un velo ya había mencionado el hambre que alzaba a los *imazighen* contra su reina, su tiranía y su crueldad, después de un reinado de paz y de justicia.

La reina bereber permanecía callada y ocultaba sus planes de guerra. Sabía que Hassan regresaría, fortalecido con nuevas tropas que el califa de Damasco le proporcionaría, y que se lanzaría a la conquista de Bizacena y de la Berbería, hasta la blanca espuma de las olas del océano.

En sus ratos de ocio Khaled la interrogaba y la presionaba:

—Oh, mi amante real, ¿crees que se acerca el momento en que Alá instará a sus soldados a emprender la guerra santa? ¿El enviado de Abd el-Malek dejará sus castillos de Barka para la ofensiva final?

Ella movía la cabeza:

—El cielo está vacío. Todo puede suceder. Nada más me ha sido revelado; me han abandonado mis *djnoun*.

Pero un día, más bien una tarde, en la que la primavera cantaba loas de esperanza, después de levantarse, Dihya se desplomó bruscamente sobre esas alfombras hechas para el amor. Se levantó, cayó de nuevo y pegó la oreja a la tierra.

No vio ni reconoció a nadie. En un trance convulsivo, como inmersa en una danza fuera de lo común, golpeaba con los pies descalzos la espesa lana y se balanceaba sin perder la elegancia. Ciertas palabras —incomprensibles— brotaban de sus labios, que se habían afinado en forma repentina. Una espuma blanca le mojaba las comisuras.

La luz verde de sus ojos desafiaba el fulgor de las antorchas. Bailó, bailó, escuchó una vez más a la tierra aplastada bajo sus pies y, con un movimiento giratorio continuo, la barrió con su extraordinaria cabellera cobriza. Habló una vez más, ¿pero qué dijo? El sudor le adhería la camisa contra sus senos erguidos y se limpiaba las manos en las caderas con un gesto primitivo, casi obsceno.

La Kahina ve. Ve el futuro. Oye el galope de los caballos árabes tras los camelleros aterrorizados. Se estremece con la imagen. El enfrentamiento, los hombres descuartizados, las lanzas y los venablos en un torbellino mortal, la huida. Oye y ve. Sus *djnoun* la rodean y la poseen. Y de pronto, le señalan, en el rincón de la tienda, un objeto envuelto en una tela de vivos colores, a rayas verdes y rojas. Los *djnoun* la conducen, entonces, al largo banco de roble cubierto por una manta de lana gruesa. Y con un gesto brusco, levantan la tela. La Kahina descubre su cabeza, con una leve sonrisa en los labios. Un sable se la ha cortado.

Es la segunda vez que se ve decapitada. Entonces, disminuye el balanceo, intenta recogerse el cabello sobre el cuello y cierra los ojos un instante, agotada. Cuando vuelve a abrirlos, regresa de un viaje en la oscuridad.

Ha sido testigo de la derrota de su pueblo y del anuncio de su muerte.

26
"Lo importante es saber conciliar la vida con la muerte"

Esa mañana, la Kahina cabalga sobre Abudrar, entre el fiel Sekerdid y Khaled. Regresa de una dura razia, llevada a cabo para defender a una de las tribus más fieles de los zenetas.

Es primavera y estalla la naturaleza. El espino y el brezo enlazados en torno a las tiendas parecen prometer un eterno retoñar. El pequeño ejército se interna en un bosque de pinos. El singular perfume del helecho impregna el aire. A lo lejos, las cumbres dominan las enhiestas filas de alcornoques.

¡Alto! La Kahina ha dado la orden. Desciende primera del caballo, con un salto preciso. Se arrodilla con un movimiento acompasado y gracioso. Recoge unas violetas dispersas entre el helecho, pero rápidamente las hace a un lado.

—¿Cómo pudo el califa Omar llamar a nuestra tierra el "traidor lejano"? —pregunta visiblemente contrariada. Se trata de un insulto a la belleza del Aurés y a su majestuosa resurrección—. Los árabes han comprendido lo difícil que es someternos.

Sekerdid se vuelve hacia Khaled:

—Difícil y complejo. No somos un pueblo común.

El árabe guarda silencio. Sabe que las divisiones de las tribus y su inconstancia ayudarán a resolver las "dificultades" y "complejidades" de la conquista.

Se acerca a los dromedarios, compañeros de los bereberes en todas las etapas de la vida. Así pues, hoy transportan los alimentos y el agua para los caballos, después de haber desempeñado un papel fundamental en las batallas. Khaled recuerda aún su armoniosa docilidad para ubicarse en círculos, como en una danza, protegiendo a las mujeres y a los niños que acompañaban a los guerreros bereberes. "No hemos sabido adiestrarlos así", piensa el árabe.

Lo que sugiere un dejo de nostalgia en su amante irrita a la Kahina, que le ordena:

—Deja de soñar, Khaled. Hay que darles de beber a nuestros caballos.

Cuando habla, se siente distinta. Otra. No la amante, ni la mujer, ni siquiera la profetisa inspirada por Yahvé. Se desdobla. Analiza el mundo exterior, pero también —y en primer lugar— reflexiona sobre sí misma. "No quiero perderme de vista", se dice a sí misma, evaluando los riesgos del examen.

Khaled, sus cadenas y su poder. "Me toma, nos tomamos, pero yo lo domino". Recuerda un momento después del amor en que comenzó a recitarle unas frases del Cantar de los Cantares.

—¿Conoces el segundo verso?

Khaled trata de recordar:

—*Mi amado es para mí y yo soy para él.*

—Sí, Khaled, pero yo ese verso lo recito así: *Mi amado es para mí y yo soy... ¡para mí!* —la Kahina ríe, excitada—. Detrás de la apasionada sensualidad del Cantar de los Cantares, se oculta una falsa igualdad —afirma—. En realidad, la mujer sigue siendo la presa del hombre.

Oum Zamra y Tanirt, su madre, invocaban con frecuencia como única alternativa de las mujeres el renunciamiento total a favor del hombre con el fin de servirlo. Una vida simple y serena. Tareas múltiples, pero agradables. La *amazigh* es una presencia importante en el hogar, aunque ello exija depender de otro. El orden de las cosas, en resumidas cuentas.

"Eso jamás", se decía la Kahina, arisca. "Renunciar a ser mujer soberana, jamás".

Dios-Yahvé la había dotado con el poder de una reina. Trazó su destino y la eligió para mostrarle la senda al pueblo bereber. Dios le inspiraba las profecías que la poseían. En ese aspecto, sin límites y en forma exclusiva.

Khaled, Sekerdid, Zenón o el mismísimo Kuceila, quien le había enseñado lo sagrado y el arte de la guerra, sólo tuvieron ascendiente sobre su cuerpo, sus noches y sus sentidos. Nadie inspiró sus elecciones políticas ni religiosas.

Cierto era que Kuceila la había formado y educado un poco. Lo reconocía: le había inculcado las virtudes bereberes. Pero ni él ni ninguno de ellos tuvieron la menor participación en la fuerza sobrenatural que la unía a su pueblo.

El placer físico la hacía vivir, como la exaltación de una victoria. La reconciliaba, reconciliaba en ella la vida y la muerte. Por otra parte, la Kahina no le temía a la muerte. Más bien, solía arengar a sus tropas exaltando la muerte, antes que la esclavitud, la sumisión o la derrota.

—Lo importante es saber conciliar la vida con la muerte. Mantenerlas en vasos comunicantes.

Eso le dijo una noche a Kuceila, quien le respondió:

—Con tu juventud y belleza, filosofar sobre la muerte es un contrasentido.

—La guerra familiariza con la muerte a cualquier edad —musitó con una sonrisa.

Su pueblo y ella se habían elegido recíprocamente, y esa elección definiría la historia de ese siglo.

Nadie poseía la mínima autoridad sobre esa simbiosis. Ella era la guía. Ella era el destino de su pueblo. Y ese destino se confundía con su destino personal. Había nacido judía en la tribu de los djeraoua, y había extendido su poder sobre los zenetas y unido a los bereberes de Ifrikiya. Así pues, la Kahina y los bereberes viven y mueren juntos.

Los reinos bereberes ya se encontraban unificados bajo el dominio del poderoso Massinissa, en el siglo II a.C. Largo y duro fue el combate contra los cartagineses, los romanos y los bereberes que los habían traicionado. Y con la decadencia del Imperio romano, incluso llegaron a cobrar nuevas fuerzas en la época de los vándalos.

—La expresión *rey bereber* no tiene femenino —se decía a menudo la Kahina.

Desde su más tierna infancia había interrogado a su nodriza, a Thabet, su padre, e incluso a Tanirt, su madre. Las mujeres alzaban los hombros, recordando que el hombre era el jefe natural y que de poco servía discutir lo ineluctable.

—Padre venerado, ¿por qué los reinos de Ifrikiya estuvieron siempre sometidos a la autoridad de un hombre —un *aguellid*—*y nunca a la de una mujer, a pesar de sus méritos?

Thabet reía y, durante sus travesías por las montañas, en tono burlón, le contestaba:

—Pero cuando yo muera tú serás el jefe de nuestra tribu, Dihya. La jefa, porque eres mi heredera. Tendrás en tus manos el destino y los valores de los djeraoua.

—¿Y quién conducirá al pueblo bereber? —replicaba ella.

La víspera de los enfrentamientos más cruentos entre su pueblo y Hassan el Ghassanide, ella solía repetirse:

—He sucedido a Kuceila como líder en el Aurés y me he convertido en la reina de Ifrikiya con poderes absolutos. Como un *aguellid* hombre.

Su padre le había explicado claramente que esa autoridad no debía confundirse nunca con la voluntad del tirano. Con cierta malicia, la Kahina se negaba a detenerse en esa distinción y recordaba:

—He dejado en manos de mis tribus la responsabilidad de administrarse a sí mismas, de fijar los impuestos comunes y, en sus jefes, la de aconsejarme en todos los aspectos.

¿Se mencionaban ante su presencia ciertos excesos o actos arbitrarios de los que podía ser responsable? La Kahina anticipaba el estado de necesidad y definía la estrategia guerrera que, por regla, no acepta medias tintas.

—Vencer. Es necesario vencer —explicaba.

Frente a frente, Dihya y la Kahina se interpelaban. ¿Cuántas eran? ¿Dos, tres mujeres? ¿Sólo mujeres? ¿O esa fusión única en la misma persona del conocimiento del poder y la guerra —patrimonio de los hombres— y del amor físico y el placer?

Así, la Kahina se evaluaba, se juzgaba y se hacía trampas.

Se acusaba y luego se defendía, y exploraba en el fondo de sí misma todos los rincones de su ser.

Mientras que los caballos calman su sed con los odres de agua que transportan los camellos, la Kahina sigue desdoblándose. Aunque está acostumbrada al ejercicio, le teme. A su pesar, con una objetividad incisiva como el filo de una daga, emprende esos viajes interiores que la conducen al borde de la locura.

—¡Qué bella eres, Dihya!

Era más fuerte que él. El sol iluminaba con luz rojiza su soberbia cabellera y otorgaba al verde de sus ojos un destello dorado. Khaled ha hablado, ha dejado hablar al amante que hay en él.

Sorprendida, Dihya se vuelve hacia él y le ordena que se calle, que no olvide en ninguna circunstancia —salvo en el amor— que ella conduce el destino de su pueblo, que ese pueblo seguirá siendo libre y fuerte, que su belleza prevalece o se apaga, y que entonces se equivoca cuando se dirige a ella como si fuera una mujer cualquiera. En ese momento, ambos se observan con detenimiento. El amor —o eso que se le parece—

los ha abandonado por un instante. Permanece esa fuerza vital que se nutre a veces de la fría crítica, incluso del odio.

—Has conducido a tu pueblo a las guerras, al hambre... —replica Khaled con dureza y humillado.

Sabe —puede dar fe de ello— que una mujer es capaz de competir en crueldad y maltrato con el peor de los déspotas. Una mujer, esa mujer, la Kahina, a quien ha visto a la cabeza de sus hombres saquear, sembrar el terror, matar...

—¿Pero qué clase de mujer eres, entonces, Dihya?

La pregunta descarnada deja entrever cierta turbación.

—Una mujer libre, Khaled, una mujer a quien ningún hombre ni ningún invasor podrá dominar.

—Ni ningún dios —agrega Khaled.

Desde niña, Dihya desafía a los dioses. Dice que escucha a Yahvé, pero lo provoca, pues sólo obedece a su propia voz. Sólo sus profecías deciden el futuro de su pueblo. Invoca al dios de los judíos con la única finalidad de otorgarle a su palabra una fuerza misteriosa. En momentos de extrema lucidez para consigo misma, la Kahina se considera libre de todo nexo con Dios, los dioses, Yahvé y otras divinidades. El viento, sus jinetes, su poder y el terror que siembra para conducir a los *imazighen* a la victoria constituyen sus únicas referencias.

Sekerdid se había alejado. Su discreción le asegura el futuro. Y sus noches ocasionales con Dihya. No quiere renunciar a ellas ni ponerlas en peligro.

El amante árabe, fascinado por la belleza lasciva de Dihya sobre la montura, guarda silencio. ¿El placer físico que lo ata a su enemiga no influye en los planes de esa mujer?

Interpretando el mutismo de Khaled, la Kahina agrega:

—Mis responsabilidades, decisiones y compromisos son sólo míos. Y los hombres que me rodean no los cambian en nada.

Pero no responde a la verdadera pregunta de Khaled: ¿cómo integra el amor físico, esa unión de todas las noches, en su vida de reina?

Dihya no responde porque nadie sería capaz de comprenderla. Ella lo sabe. Su vida está trazada y ella conoce el camino. Y el final. Lleva a la muerte consigo.

—Es lo que constituye mi unidad —exclama en voz alta. Y el amor, tan cercano a esa muerte siempre presente, colabora con esas relaciones esenciales. Sin interferencias.

La Kahina da la orden. Hay que regresar. Ha sujetado un ramillete de violetas y mimosas al broche de plata de su túnica.

¿La historia dirá que una mujer —ella, la Kahina— fundó un pueblo con tribus dispersas y hostiles? ¿Que unió a los sedentarios y a los nómadas, a quienes creían en los ídolos y a quienes adoraban a un solo dios, los judíos y los cristianos? ¿Que, como enviada de Dios-Yahvé y como excelente estratega, expulsó de Ifrikiya al invasor?

Mientras se mece al ritmo del trote de Abudrar, la Kahina murmura para sus adentros:

—Y que sabrá morir como una heroína. Tal vez pronto —concluye en voz alta, al tiempo que detiene por las crines a su montura, que acaba de perder el rumbo.

27

Velada de armas: los árabes

Perseguido por las tropas de la Kahina hasta Tacapas, Hassan el-Ghassani se vio obligado durante varios años a permanecer en Barka, Cirenaica. Había sufrido la derrota de Oued Nini, y ahora quería vengarse. Obedeciendo las órdenes de Damasco, no intentó borrar en lo inmediato el fracaso de sus ejércitos. Y llegó a cuestionarse, incluso, su plan de entonces. Quizás había cometido un error fatal al rodear la ciudadela de Majdana, sin animarse a tomarla por asalto. Sin duda, había sido esa circunstancia la que permitió que la mujer de la lanza victoriosa lo persiguiera desde los *oueds* Nini y Meskiana hasta el sur, hasta Tacapas y aun más allá, y le infligiera nuevas derrotas.

Así, la bereber había logrado trazar, del noroeste al sudeste africano, la diagonal de su epopeya guerrera, expulsando fuera de Bizacena y allende los confines de Trípoli a los guerreros de Alá.

Refugiado en Barka por orden del califa Abd el-Malek, Hassan se aburría. Pasaban los meses y los años —¿tres, cuatro, cuántos?—, y Damasco aún no le permitía vengar su derrota. Como una estratega perfecta, la Kahina había conducido a sus tribus a la victoria y lo había echado fuera de la Tripolitana, hasta obligarlo a replegarse en Barka.

—¡Una mujer, qué ironía! —se repetía el Ghassanide. A pesar de que intentó destacar en sus mensajes al califa las dotes naturales de esa estratega inesperada —"lee el futuro y, en estado de trance, adivina nuestros planes contra los infieles"—, la humillación seguía devorándolo. Aquella a quien sus súbditos llamaban "la judía de Dios-Yahvé", aquella cuya belleza había conquistado a la Berbería, aquella que había logrado la imposible unidad de los zenetas y los branes, de las tribus nómadas y las sedentarias de las aldeas; aquella, una mujer, era capaz, pues, de llevar al fracaso el proyecto de Alá, e impedir la conquista de Bizacena y de toda Ifrikiya y más allá, de Trípoli a Taroudant, del Mediterráneo al océano. *"Dios impone así a sus creyentes una prueba ejemplar"*, dice el Corán.

El califa no había restablecido su autoridad en la Arabia convulsionada por disturbios y revueltas esporádicos.

Abd el-Malek sucedió a su padre Meruán, fallecido repentinamente en el año 685. Accedió al poder en condiciones difíciles. Reinaba la anarquía y ciertas sectas —los kharijitas y los chiitas— se peleaban entre ellas y se oponían al califa. La primera practicaba una política de eliminación. Quienes no eran kharijitas se proclamaban infieles y, por lo tanto, enemigos. Era necesario romper con ellos y quitárselos de encima, para lo cual la sangre árabe debió correr a borbotones. Es lo que la historia de esa época relata. A los ideólogos les bastaba, sin exégesis, con el hecho de armar su proyecto de purificación del mundo sobre la base del Corán. Eliminar a todos los infieles de la faz de la Tierra.[1] Fieles a ese plan elemental, los "cabezas rapadas" —prescripción de su secta— se lanzaron a una carnicería sin igual, en la que sembraron el odio y el terror.

Abd el-Malek prefirió apoyarse en la secta rival —los chiitas—, conformada por los partidarios de Alí y sus hijos. Tan grande era su ingenuidad y su displicencia que podía dominarla con facilidad. Después de reducirla con una rápida ofensiva, pactó con ella y la sometió. Cuando logró por fin restablecer un orden precario y recuperar la legitimidad del califato de Damasco, pudo reemprender la conquista de la Berbería.

Abd el-Malek representaba la dinastía de los omeyas y, como sucesor del Profeta, instaló por primera vez su doble poder terrenal y espiritual en Damasco. Conocía a las claras la dificultad de esa *jihad* guerrera en las regiones ocupadas por tribus inestables, que cambiaban de señor y de dios después de cada batalla, mezcladas con esos bizantinos ya medio aliados. Y después esa mujer, la Kahina, que combatía liderando a sus tropas subyugadas. Como enviada del cielo, según ella misma sostenía.

Justamente, Hassan el Ghassanide acaba de recibir el último mensaje de Khaled: "Comienza la expedición contra los infieles. Es un buen momento...". Los emisarios espías lo confirmaban pero, reticentes, mencionaban siempre con temor el poder sobrenatural de la general bereber.

Tal vez la Kahina era invencible. Pero Hassan juró cortar la cabeza de esa hechicera, cuyas tropas, escasas y a la defensiva, se sentían, según comentaban, cada vez menos motivadas.

—Las borraré de un plumazo en el asalto final —se había prometido.

Al mismo tiempo, a lo largo de esos años, Hassan se

había preocupado por el destino de su sobrino. Lo formó y le enseñó a leer el Corán y los astros. Estaba orgulloso de sus talentos de escriba y de su memoria de joven historiador.

—Alá es grande —se decía en su prisión—. Khaled será mis ojos y mi lanza… No dejará nunca de luchar.

28

"Los árabes quieren nuestras aldeas...
el oro... hay que destruir todo"

$\mathcal{P}$asaron unos tres o cuatro años desde la derrota árabe de Oued Nini y la orden que el califa Abd el-Malek le había dado al general Hassan ibn Noman el-Ghassani de replegarse en Cirenaica. Instalado en su fastuoso castillo, había recibido con regularidad el informe de sus emisarios y las hogazas enviadas por Khaled, en las que le comunicaba el estado de las tribus y los proyectos de la Kahina. Allí, Khaled describía brevemente el hambre que hacía estragos en las tierras y en los hombres, lo que decidió a Hassan a postergar su partida. ¿Cómo ocuparía una provincia seca y estéril, si tenía que alimentarse con sus frutos? Los mensajes se sucedían y el gobernador árabe esperaba el momento oportuno. A pesar de su edad, se había prometido no retirarse de la lucha antes de conquistar el Aurés y derrotar a su profetisa. Impaciente por lavar su honor de general, exterminaría a los infieles por la gloria de Alá.

Además, pensaba que Khaled, prisionero desde hacía tantos años, aguardaba con impaciencia que lo liberara su gente. No sospechaba que las delicias de un cuerpo real le habían construido otra prisión y multiplicado sus cadenas. Que traicionaba a los suyos y, al mismo tiempo, a la Kahina.

Fue entonces cuando llegó su último mensaje: "Ven rápido. Los bereberes están divididos". En ese mismo instante, el general árabe recibió los refuerzos y el oro de Damasco. La guerra santa volvía a comenzar.

Esa mañana, la Kahina ha reunido a todo el consejo de jefes tribales. Hay que prender fuego al Aurés, a los montes y a los valles, a los plantíos de olivas y a los robles. La Kahina impone su plan. Lo explica, mientras un destello de frialdad le atraviesa la mirada:

—Los árabes quieren adueñarse de nuestras aldeas, del oro y la plata, mientras que nosotros sólo deseamos conservar nuestros campos para cultivarlos, nuestras montañas para vivir en ellas, nuestros prados de pastoreo para el ganado. Y el viento, nuestro fiel compañero.

Despliega grandes pergaminos, donde ha dibujado los *oueds*, señalado las colinas y ubicado las aldeas.

—Todo debe desaparecer. —Con la palma de la mano oculta el mapa—. El único plan para disuadir a Hassan y su ejército es arruinar el país. Para desalentarlos, hay que destruir.

Agag, el más culto de todos los jefes de clan, toma la palabra:

—Todo eso es una locura, mi reina. Los hombres *imazighen* de este país no querrán destruir sus riquezas.

—Sobre todo, si les pides que lo hagan ellos mismos —interviene Igider,* apoyado por Asfru,* que clava su lanza en el suelo, furioso. Gwafa* y Yufitran, consejeros íntimos de la Kahina, se acercan a ella.

—Por Yahvé, nuestro Dios, jamás aceptaremos convertir en cenizas nuestras tierras... Esperaremos al invasor y le haremos morder el polvo...

La reina monta en cólera.

—¿Quién les ha mostrado el camino de las grandes batallas? ¿Quién, por la gracia de Dios, ha sido capaz de leer su destino y el del pueblo bereber? ¿Quién ha unido a este pueblo y lo ha conducido a la victoria contra Hassan?

Hay agitación entre los jefes del clan y murmullos de aprobación.

—Hassan sentirá temor cuando ardan Lambèze, Thamugas y Mascula. —Y agrega—: Envenenaremos los pozos. A su paso sólo encontrarán hambre y sed. Esos árabes desean convertirnos en sus esclavos. Vamos a exterminarlos.

—¿Y cómo abasteceremos a nuestras tribus cuando regresen al Aurés, cuando Hassan sea derrotado y reducido a sus castillos de Cirenaica?

Segura de sí misma, la estratega replica velozmente:

—Nos alimentaremos con los frutos y las cosechas de Bizacena, allí donde Hassan no llegará, y nos los llevaremos...

Además, a lo largo del litoral, en el camino que ha elegido para regresar, algunos *guelaat* bien provistos y otros tantos aguaderos ocultos alcanzarán para cubrir las necesidades.

Usem,* proveniente de remotas montañas, es el primero que inclina la cabeza en señal de sumisión. La Kahina se sube a un banco largo de piedra cubierto por una piel de cabra. Agitada, como dirigiéndose a otros, más allá de quienes la escuchan y por encima de las cabezas, con los brazos extendidos hacia el cielo, repite con todo su cuerpo y con toda su alma:

—En mí se encarna el destino del pueblo bereber. Más tarde, reinará desde el océano hasta Damasco, desde Taroudant hasta Bizacena. De su desierto surgirán las nuevas cosechas y sobre sus ruinas se construirá el nuevo país.

Contempla a sus vasallos, obnubilada, y se baja del banco en silencio. Yufitran deja caer su venablo, se acerca y le besa el hombro. Una nueva muestra de sumisión. Sin entusiasmo pero deseando conjurar su propio temor, los otros jefes siguen el ejemplo. No tienen alternativa. Tal vez incluso contra sus propios pueblos, aceptan ese plan de guerra fatal, la tierra arrasada.

Sekerdid había apoyado sus quejas, a riesgo de sufrir en carne propia la singular furia de la Kahina.

—¿Acaso olvidas cómo Salomón, ese general enviado por Justiniano para exterminar a los bereberes, venció a Iabdas, el gran jefe del Aurés? —le recuerda entonces.

Para ella, la epopeya trágica de Iabdas se liga a la suya. Se trata de una referencia absoluta, por sus analogías y sus raíces. La persecución del gran Iabdas emprendida por el general bizantino Salomón hasta Thumar —donde ella había nacido— se inscribe en las páginas heroicas de su historia. La historia de su pueblo, el pueblo bereber. Todas las narradoras, Tayri, Anya,* Chilmuma* y sus antepasados antes que ellas, han descripto con palabras, mediante cánticos, la gesta ritual de esos desdichados acontecimientos.

Iabdas se refugió con sus mujeres —a quienes dejó a cargo de un anciano y un eunuco— y con sus tesoros en Thumar, nido de águila rodeado de acantilados graníticos separados por siniestros precipicios.

Salomón comprendió que no iba a poder tomar por asalto esos reductos, donde los veinte mil *imazighen* enemigos se mimetizaban con las rocas y las grutas de la montaña. Ya fuera de su alcance, el enemigo se confundía con el paisaje y se hacía invisible. Entonces, decidió matarlo de hambre. Sus tropas bloquearon todas las vías de acceso, hasta el sendero más inofensivo, y devastaron, saquearon y quemaron las tierras cercanas. La sed, el hambre y el cansancio acabaron con los bereberes.

Iabdas pudo huir por milagro a Mauritania, y Salomón ingresó triunfante en la ciudadela. Se apropió del botín, que compartió sólo con algunos de sus jefes, para gran descontento de sus oficiales y soldados, a quienes maltrató, como era su costumbre.

—Al emprender la retirada, Iabdas no se decidió a quemar las cosechas ni a envenenar el agua del camino que transitarían los invasores —explica la Kahina—. Los bárbaros griegos devastaron nuestras tierras alrededor de Thumar. Sin embargo, pudieron obtener las provisiones necesarias durante su ofensiva —agrega, mordaz—: No cometeremos el mismo error.

—Pero eso fue hace más de un siglo, mi reina, en el 539. Y nuestro pueblo sigue ocupando esas vastas tierras, desde Magreb el-Acsa hasta Alejandría, desde el mar romano hasta las regiones habitadas por negros. —Sekerdid insiste. Quiere disuadir a su reina de emprender ese camino suicida. Pero es imposible. La mujer que tiene el destino de los bereberes en sus manos ya ha tomado la decisión.

Al regresar a su tienda, Sekerdid se pregunta si la mujer tierna y voluptuosa entre los brazos de sus amantes y aquella guerrera exaltada, despótica y cruel, Dihya, la Kahina, podían ser la misma mujer. O tal vez ese desdoblamiento era producto de la magia de Yahvé.

∽

—Todo debe arder —ordenó la Kahina en una nueva asamblea de clanes.

Los jefes, incluso los que habían apoyado su táctica guerrera, alzaron voces de protesta:

—No, todopoderosa Kahina, no puedes echar por la borda de ese modo los años de trabajo en nuestros campos y nuestro ahorro. No debes destruir la vida de nuestras aldeas y la de nuestras tribus nómadas. —Al mismo tiempo, demostraban su furia golpeando las lanzas contra el suelo—. ¡No! —gritaban—. ¡No! No podemos aceptar que se violen nuestros *guelaat*, ¡eso no!

La devastadora hambruna los había minado y no podían comprender la estrategia de la Kahina. ¿Quería reducir a cenizas, a humo y a polvo el fruto de su duro trabajo, sus esfuerzos para edificar aldeas y ciudades, y sus sueños de una Ifrikiya verde y apacible como en los tiempos del Imperio romano? ¿Deberían convertir en tierra quemada los bosques y las ciudades hospitalarias, tan aclamados por los poetas latinos?

El ejército al mando de la Kahina, unificado por ella, atrajo a otras tribus a pesar de ciertas resistencias. Así aumentaría su poderío y partiría al encuentro de Hassan ibn Noman el Ghassani, orgulloso de sus victorias de Kairuán y Cartago. No aguardaría el regreso del enemigo. Prefería atraerlo hacia su territorio y desconcertarlo con trampas misteriosas.

La reina ordenó a Sekerdid que organizara las tropas en legiones destructoras, a las que se les dio la orden de encender braseros en el interior de las murallas y dispersar el grano, el aceite, los dátiles y la miel de los *guelaat*.

Por la tarde, las hogueras iluminaban las ruinas. Las tropas se dispersaban presas del pánico y las fortalezas del imperio bereber se desmantelaban con el correr de los días y las horas.

Hassan se acercaba, con sus tropas frescas y sus nuevas armas.

La reina del Aurés, sorda a las revueltas que había originado, sólo escuchaba sus voces interiores, que le repetían: "Los árabes se dedican a tomar las ciudades, los bienes, las fortalezas. Las tribus nómades —los zenetas, pero también los botr sobre sus camellos— sólo pueden vivir en armonía con la naturaleza, las estaciones, el viento y las distintas fases de la luna, que buscan en los prados, en el titilar inconfundible de las estrellas del desierto y en las aristas inaccesibles del Aurés".

—Mientras que apropiarse del oro y de las fortalezas es

definitivamente una virtud árabe —le dice un día la Kahina a Sekerdid, siempre hostil a esa destrucción.

Finalmente, los generales bereberes dejaron de protestar. Bajo el eterno influjo de su reina, creían aún en el milagro, en una victoria que nacería de esa ofensiva apocalíptica. Y seguían adelante.

Thamugas, Lambèze, Tébessa, Mascula fueron incendiadas después de Baghaia.

—Quiero que los árabes sólo encuentren cenizas, hambre y sed... Que el vacío los conduzca a la muerte. —Con su ferviente discurso exhortaba a los jefes de las tribus—: Las montañas, los ríos, el desierto infinito, todo eso nos pertenece. Y cuando el invasor vencido emprenda la retirada, insuflaremos nueva vida a nuestra tierra.

Los bosques de la Bizacena romana, los graneros bizantinos, los frutos y las flores, las torres y los campamentos de esa parte de Ifrikiya, la más luminosa, quedaron reducidos a cenizas y polvo.

Pero incluso bajo su poder, algunas tribus resistieron. Quemar sus bienes, el trigo y el ganado, después de la sequía y del hambre que habían sembrado muerte y desolación bajo los techos de sus tiendas, engendraba en ellos más violencia. Los campesinos quisieron enfrentar a los guerreros. Sus cuerpos fueron murallas contra los incendiarios.

—¿Qué vamos a hacer, *cheikha* de todos los bereberes? ¿Vamos a matar a nuestros propios hijos y hermanos, por quienes estamos dispuestos a dar la vida en esta batalla? —preguntaban los jefes.

29

La Kahina da el ejemplo

Al frente de sus tropas, la *cheikha* quiso dar el ejemplo.

—Hay que arrasar las ciudades y quemar los campos —le ordenó la Kahina a su fiel lugarteniente—. Rápido, rápido. Cuando ataquen, los árabes no encontrarán nada y, una vez más, se replegarán.

—Reina todopoderosa —respondió Sekerdid, moviendo la cabeza—, elegida de Yahvé y del pueblo más noble de Ifrikiya, las tribus se rebelan en todos lados.

En su determinación trágica, ella no lo oye. Su orgullo de djeraoua, hija de Thabet, hijo de Enfak, le aseguraba que todos los *amazigh* respetarían sus poderes de general en jefe, de estratega y de profetisa. Tanto los de las tribus nómadas como los de las aldeas sedentarias, los de los confines del océano y los que provenían de los desiertos.

—¿Quién se atreverá a oponerse a mis órdenes? ¿Quién me enfrentará? —preguntó.

—Ven conmigo mañana a nuestra cabalgata. Bajo tus órdenes debemos incendiar las cosechas guardadas en los graneros. Ven y verás, noble señora.

Entonces la Kahina acompañó a Sekerdid al frente de su séquito. Como antes de una travesía habitual, acarició la grupa de Abudrar, el de los cascos ágiles, le alisó las orejas y le murmuró algunas palabras misteriosas, con los labios pegados al lustroso pelaje. Su vínculo con Abudrar era mágico. La montura era una prolongación de su cuerpo cuando cabalgaba. Con gestos gentiles y con mano suave sobre las crines, le indicaba la dirección y el ritmo, en equilibrio con la naturaleza.

≈

La Kahina cabalga al lado de Sekerdid, al frente de sus tropas. Ese día, ella misma en persona controla la ejecución de su plan de tierra quemada.

—El Imperio romano tenía una colonia en Ifrikiya. Los bizantinos la perdieron y yo la he destruido —solía decir.

En los caminos zigzagueantes se alzan hileras de cedros tiznados, como un cortejo fúnebre. Los jinetes escalan una pared, en cuya cima se hallan los *guelaat* repletos aún de cebada, dátiles y aceite. Parecen suspendidos del cielo, de un color azul acerado. Un *amazigh* los custodia. Un anciano.

—Apártate, valiente, los soldados de la reina deben quemar las reservas —Sekerdid transmite así la orden.

El hombre de barba entrecana se ciñe el albornoz, incrédulo. ¿Cómo van a destruir si los hogares y las tiendas necesitan de todo?

—La destrucción atenta contra la obra de Dios —responde, alzando la voz. Quiere negociar. ¿Por qué prender fuego a esas riquezas que han producido y almacenado con tanto esfuerzo después de la hambruna? ¿Cómo podrán satisfacer sus necesidades luego? ¿No hay ninguna posibilidad de conservarlas en algún lugar secreto para no acabar con ellas?

—Apártate —repite Sekerdid. Y ordena a sus oficiales que se acerquen a la entrada de la gruta de las mil riquezas, que el viejo obstruye. No se mueve. Los soldados se detienen y bajan las armas. Quizás ese rebelde encarna la voz de la sabiduría.

—Ya basta —interrumpe con serenidad la Kahina—. Apártenlo de mi camino.

Sekerdid se acerca a ella y le murmura al oído que, si los

obliga a obedecer, esos soldados desertarán, como tantos otros. Que es mejor renunciar a destruir ese granero. O regresar. O esperar.

—Si no nos dejas pasar, te mataré —replica la Kahina, amenazando directamente al viejo guardián.

—Oh, Kahina, tú que has sido nuestro jefe, nuestra guía, nuestra profetisa, ahora siembras la desolación y el temor entre nosotros, tus súbditos. —El viejo bereber se acerca a la reina, con las manos unidas en actitud suplicante—. ¿Acaso te han abandonado los dioses? ¿Cómo has llegado a esta triste muestra de luto y locura?

—Cállate —ordena ella con dureza—. Llevo en mí la historia de nuestro pueblo. Yo construyo el destino y nadie más.

Lo empuja, se acerca a él.

Con los ojos verdes relampagueantes como el océano en una noche de tormenta y con los labios temblorosos, la Kahina se yergue. Ha hablado. Las palabras le brotaron atropelladamente mientras observaba el cielo:

—Yo decido, ¿entiendes?

El hombre guardó silencio. Entendió. Y se acostó en el suelo a la entrada del granero.

—Vas a morir, estás loco, vas a morir. —La Kahina lo mira unos instantes—. Déjanos pasar.

El loco, con la mirada fija, ya no se mueve. Se acurruca un poco, como para formar con el cuerpo una muralla más importante.

Entonces, la guerrera aprieta con fuerza la empuñadura de plata de su lanza. Con un golpe, uno solo, desde lo alto del caballo, le atraviesa el corazón con el arma. El hombre entorna los ojos, como sorprendido, y se arquea. Luego, vuelve a caer al suelo con un estertor. La sangre corre desde su pecho herido. Sin esperar, la Kahina ordena a su escolta:

—Adelante, adelante —grita—. ¡Lancen las teas! El camino está libre.

Baja del caballo, esquiva el cuerpo y es la primera en prender fuego a los sacos de trigo.

Los historiadores han relatado los muchos actos de barbarie cometidos por la Kahina en esa época.

¿Fueron la causa de las numerosas defecciones que se sucedieron en el seno de sus tribus? Por una parte, sí. ¿La tiranía feudal con que la Kahina las abrumó antes de la última derrota hizo el resto? Porque a pesar de la inconstancia de las tribus bereberes en el pasado, la unidad que cimentó la Kahina el día después de la victoria contra los árabes debería de haber soportado mejor los embates del destino. Pero en el momento de la peor hambruna, los nómadas alzados contra los sedentarios, los zenetas de la Kahina contra los branes de Kuceila, todos perdieron la fe en un pueblo único y una reina con poderes sobrenaturales.

Entonces, las tribus, unas tras otras, fueron desmembrándose y desertando. Primero los sanhadja, esos bereberes ajenos al *litham*. Luego los retama y los masmouda, todos ellos branes. Incluso la tribu auriba —de donde provenía Kuceila— se había marchado. Las tribus de la rama de la Kahina, los zenetas, se desintegraron a su vez, seguidas por los usfara y los mediouna. La reina, abandonada, sólo pudo conservar cerca de ella a los fieles de su propia tribu, los djeraoua. Y al frente de la tribu, silencioso e imponente como una roca, a Sekerdid.

Khaled regresa de la tienda de Adal, que amasa el pan. En la hogaza que le tendió introdujo con habilidad el pergamino destinado a Hassan ibn Noman el-Ghassani.

"Las tribus desertan unas tras otras. Algunas van a tu encuentro. La Kahina ha perdido su poder. El profeta ha dicho: *Dios es quien escucha y todo lo sabe.* Ven pronto".

30

Velada de armas: los bereberes

La Kahina, poseída por la furia del mal, incendió y devastó esas tierras de abundantes bosques y poderosas ciudades. Los espías relataban a Hassan que, antorcha en mano, ella misma prendía fuego a las piedras y las cosechas. También instaba a sus guerreros a destruir los castillos, cortar los árboles y despojar a los habitantes de sus bienes. La Kahina perpetuaba la hegemonía de su tribu —los djeraoua— sobre las otras, en el apocalipsis que desencadenaba a su paso. Sus tropas encerraban el ganado de los roums y de los branes en las tierras donde se asentaban las tiendas de su tribu. Le suplicaban. Al hambre, a las llamas y al violento vacío de los hombres se sumaba el vacío de la naturaleza. La enviada de Dios no podía ser el instrumento de ese dolor, de esa desdicha inconmensurable... Aun así, permanecía sorda y ciega a esos ruegos.

Vestida con una larga túnica negra, con la cabellera desordenada y la mirada encendida, la profetisa sembraba la muerte. Desde los palmerales hasta la estepa árida, desde los olivares hasta los bosques de alcornoques, "todo debe desaparecer, todo debe desaparecer", repetía.

¿La Kahina escuchaba la voz de Dios o sólo la del destino que ella misma se había trazado?

Hassan registraba nuevas alianzas todos los días. A pesar de sus apasionadas arengas, la reina bereber no lograba reanimar la fe de los jefes de las tribus. Hartos de su actitud tiránica, ya no creían en sus dotes de profeta ni en su poder sobrenatural. El país estaba en llamas y sus habitantes —nómadas y sedentarios— no eran más que la sombra de lo que habían sido. Hassan marchaba en dirección hacia el Aurés… ¿La Kahina entiende que se trata del destino que le toca en suerte a su pueblo, o considera que ha cometido un error estratégico del que más tarde tendrá que rendir cuentas ante la historia?

—Mi pueblo, ustedes, mis tribus invencibles que han rechazado al invasor más allá de los dorados desiertos; ustedes, los herederos del valiente Kuceila, depositarios de sus virtudes; ustedes saben que el extranjero quiere nuestras ciudades, nuestros bienes y nuestro ganado. Con el fuego y el hierro, corten, quemen, destruyan… —La Kahina parecía presa del delirio. Temblando, con la mirada febril, señalaba los pozos, las cisternas—: No deben encontrar agua. Si la beben, que los mate. —Se erguía, como si fuera una emisaria de la muerte—: Envenenen el agua… Envenenen todo… Morirán de sed o por haber bebido.

Los refuerzos escaseaban, y el invierno se instalaría en parajes mutilados. Desde las cumbres del Aurés hasta las altas planicies, la nieve pronto cubriría tierras, hombres y animales con un manto precoz.

Desde hacía más de un año, Hassan mantenía un constante hostigamiento contra las tribus bereberes. Dispersas y desperdigadas por doquier, desde los palmerales del sur hasta las llanuras de Capsa y Kairuán, se batían en retirada o se aliaban al invasor.

Las órdenes del califa Abd el-Malek por fin le llegaron a Hassan. La sexta expedición árabe a África estaba a punto de comenzar. Los emisarios y los mensajes de Khaled habían desencadenado la acción. Después de haber solicitado al general que aguardara el momento propicio —a raíz del invierno, el hambre y la tierra quemada—, Khaled pensaba que la deserción de las tribus, su ruptura y la hostilidad que demostraban hacia su reina sólo podía favorecer la ofensiva de Alá.

La víspera había asistido a una escena dramática.

La Kahina regresaba a su tienda. Grupos de campesinos de las tierras vecinas se agolpaban a su paso. Algunos para suplicarle que detuviera la inexorable destrucción, otros para abuchearla. La reina, sorprendida, los rechazó con soberbia:

—Ustedes se olvidan, estúpidos bereberes, de que soy yo quien decide su suerte, que Yahvé todopoderoso insufla en mí...

—No, no, tú no eres la voz de Dios, ¡márchate!

Las mujeres ahogaron su voz y rodearon el caballo. Unas aullaban, arañándose el rostro. Otras, sollozando, exhibían en brazos a sus niños recién nacidos, muertos por falta de leche. Sus senos secos por la hambruna no habían podido alimentarlos. Una de ellas, trastornada, avanzó entre la muchedumbre y echó a los pies de la Kahina un pequeño paquete mal envuelto en una tela de lana.

—Has matado a mi hijo, maldita seas, hija de Thabet, tú y tus descendientes y los de Madghis, antepasados de todos nosotros.

Había lanzado la maldición con voz ronca. Al pesado silencio con el que fue recibida, se sucedieron más gritos, llantos y empujones. En el lugar donde durante tantos años se había formado una doble hilera de hombres y de mujeres fanatizados, que se precipitaban a su paso para besar el ruedo de su túnica y que tapizaban su camino con margaritas y laureles, pronunciando con fervor místico el nombre de su todopoderosa reina, en ese mismo lugar, los bereberes, extenuados, se amotinaban.

—Pueblo inconstante, ¿has perdido el honor? ¿Me traicionarás?

Sus palabras no modificaron en nada la actitud del gentío reunido. Ni siquiera cuando Dihya les recordó:

—Siempre los he conducido a la victoria. Ustedes eran distintos, estaban divididos. A pesar de sus religiones y ritos diversos, he logrado su unión.

Espolearon sus monturas, la abuchearon y escupieron en la tierra en señal de desprecio. La Kahina les hacía frente, digna y soberana:

—Se equivocan de camino. Ya verán, ya verán. —El bullicio impedía oír su voz—. Yo soy quien los conducirá hacia el destino que se merecen.

También Khaled recordaba las ovaciones, las flores y las ramas verdes que agitaban en señal de victoria, ese amor incondicional a la profetisa, a la mujer que conocía el futuro de su pueblo. Ese amor a su belleza y a su liderazgo victorioso. Al orgullo de cada *amazigh*, en especial de cada *tamazigh*, convertidos en interlocutores de Dios gracias a ella, a la Kahina, la liberadora y la autora de su historia.

Hoy Dios la ha abandonado. Se ha convertido en una tirana ciega que siembra el hambre, la incertidumbre y el terror.

—Levántense, escuchen sólo el lenguaje del honor y no el de la traición. —Las palabras se ahogaban bajo un alud de injurias, escupitajos y gritos. Protegida por Sekerdid y algunos de sus guardias, desapareció en la ciudadela, con la frente alta y la mano sobre su venablo—. Cuando muera, ¡que

Dios no permita que sobreviva ninguno de ellos sobre la faz de la tierra!

Sekerdid oyó la maldición que lanzó la Kahina contra los que la habían traicionado.

La miseria y el hambre agravaron la decepción y la anarquía en el territorio bereber. Las razias se multiplicaron, los saqueos se convirtieron en un medio de supervivencia y, al mismo tiempo, en revuelta política. Los djeraoua, tribu selecta de la profetisa, habían aprovechado el desorden de las leyes y la impotencia de los *kanouns* para obtener mayores ventajas. Robaban el ganado en los prados, desviaban los *oueds* hacia sus campos de pastoreo, saqueaban los *guelaat* que guardaban el trigo y secuestraban a las hijas de los branes, la otra rama bereber.

Al pie del Aurés, en los valles cultivados por los propietarios sedentarios, crecía el descontento.

—Nos han utilizado para unir a un pueblo donde sólo los descendientes de Madghis seguirán siendo los amos.

La guerra secular entre los nómadas y los habitantes de las ciudades se reavivó.

La decadencia del poder y la autoridad de la Kahina aumentaba día tras día. Sin embargo, la reina bereber no se daba por vencida. Se creía en condiciones de revertir la situación. Intentaba volver a ganar adeptos a la causa. A veces rodeaba las ciudadelas, pero las puertas se cerraban a su paso. Incluso, algunas aldeas habían llegado a construir muros para impedir su ingreso.

—Están locos, se niegan a seguirme. Hassan, con su poderoso ejército y sus nuevas máquinas de guerra, ha abandonado su *ksar** lejano... Los matará, los hará esclavos...

—¿Y tú qué haces, además de matarnos de hambre, destruir nuestros bienes y dejar morir a nuestros hijos?

En medio del estertor mortuorio se oía cada tanto una voz; un hombre con semblante espectral se incorporó. A sus pies, el último de sus dromedarios acababa de doblar sus largas patas. Iban a tener que sacrificarlo al día siguiente. Un niño, con el rostro gris como el pelaje de su esquelético asno, sollozaba despacio en el límite de sus fuerzas.

La Kahina, más delgada, flotaba en su túnica oscura. Y el corazón se le estremecía en el pecho con el sufrimiento de su pueblo. Pero sólo ella conocía el camino, aunque en esos momentos sólo pudiera ofrecerles lágrimas y cenizas.

—Ya no eres divina. Tenemos sed, hambre... y tú nos conduces a la muerte...

—En todo caso, jamás los conduciré a la humillación —y con orgullo agregaba—: Nuestros antepasados no se avergonzarán de nosotros.

Pero los infelices la tildaban de animal desalmado, de hiena, y se lamentaban por no tener las fuerzas suficientes para arrastrarse hasta los conquistadores y unirse a ellos.

—No saben lo que les espera. La esclavitud es peor que la muerte. Les he inculcado el orgullo de ser bereberes. Vengan. ¡Luchen!

Ellos desviaban la mirada, y observaban desfilar a las tropas de su campamento. Un puñado. Y una escolta de mujeres.

—Mis mujeres, mis bellas djeraoua —decía la Kahina.

Mujeres jóvenes y mujeres maduras vestidas como hombres y protegidas por los jinetes, avanzaban empuñando las lanzas. Habían acudido a los últimos llamados de la Kahina, después de la huida de los hombres y de la muerte de los niños. No comprendían esa lógica guerrera, pero estaban orgullosas de que un pueblo se hubiese construido gracias a una mujer. Y de que su belleza, heroísmo e inspiración divina les hubiera tocado a ellas también y a su cabeza gacha desde tiempos inmemoriales.

31
La avanzada árabe

En el año 698, Hassan el-Ghassani dispuso a sus tropas en posición de avanzada masiva hacia el norte de Bizacena. Por orden de su califa, abandonó por fin sus castillos de Barka, después de más de tres años de exilio.

El enemigo —esa coalición extraña de griegos y bereberes— había vuelto a arrebatarle Cartago. La emergencia, por la estrategia árabe y el honor de Hassan, exigía en forma prioritaria su reconquista.

El Ghassanide sentía que su hora había llegado. Juró una vez más perseguir a los infieles hasta derrotarlos definitivamente y se reunió con sus batallones más poderosos, que lo aguardaban en el extremo sur de Ifrikiya.

Mientras tanto, se solazaba denunciando las fechorías de esa mujer, la bereber que le había infligido la humillante derrota de Oued Nini, aquella a quienes algunas de sus tribus aún veneraban como a una divinidad. Aquella que debía morir para la gloria de Alá. *¡Bismillah!*

—Observen estos túneles —les dice a sus oficiales—. Allí la Kahina ha establecido sus oscuras prisiones...

Hassan quiere destruir la leyenda de una mujer que reúne belleza, humanidad, ciencia militar y poder de mando sobre el pueblo. Y también la pujanza de sus tribus.

La ciudad de Tacapas se sometió al invasor. Al frente de sus tropas, Hassan desvió el rumbo hacia el oeste y se acercó a la región de Nefzaoua, tierra de paisajes lunares, punto de encuentro de los desiertos de sal, piedras, arena y rosas. En ella vive una población bereber de vieja raigambre. Algunas de las tribus son descendientes directas de Madghis el-Abtar, el padre de los botr. Los oasis de palmerales más fecundos de África, recorridos por pastores y rebaños en busca de campos de pastoreo, albergan también pequeñas aldeas.

Sus habitantes pronto se aliaron a Hassan el Ghassanide. Para alcanzar Castiliya, obligó a sus tropas a emprender una peligrosa travesía. Eran tierras pantanosas, por lo que la avanzada se efectuó con lentitud, en línea recta. Si se apartaban de la senda hacia la derecha o hacia la izquierda, aunque sólo fuera mínimamente, corrían el riesgo de empantanarse y acabar enterrados —hombres, animales y cargamento— en las arenas movedizas. En la narrativa árabe abundaban los relatos aterradores sobre caravanas desaparecidas, incluidos los cuerpos y los bienes. El pantano, como una hidra asesina, los había devorado lentamente.

Luego fue el turno de Tozeur, Nefta, El Hamma,[1] que sucumbieron como castillos de naipes. Los hombres que poblaban ese almocárabe de oasis y de palmares exuberantes no combatieron. Ni siquiera utilizaron los dromedarios según el famoso ejercicio bélico de los branes. Recibieron a los conquistadores con total indiferencia, mientras continuaban dedicándose afanosamente al cuidado de sus palmeras. Tarea importante si las hay. Cientos, tal vez miles de camellos, parten todas las mañanas hacia las ciudades, vencidos bajo el peso de los *baçours* y cargados de *deglet el-nour*, esos dátiles de miel y de luz. Miel y luz con que el comercio alimenta desde siempre a los habitantes de esas planicies limítrofes, hasta los oasis suspendidos en lo alto, adheridos a las cavidades de las montañas.

---

[1] Tozeur (Tusuros, nombre antiguo), Nefta, El Hamma, oasis del sur tunecino.

⌒

Después de la travesía de los *chotts*, lagos secos durante el verano y cubiertos con una delgada película de agua salada en invierno, el general árabe se detuvo a calcular la cantidad de hombres desaparecidos en las arenas movedizas y en los lagos cuya superficie había cedido bajo su peso. Sabía que el camino era difícil, peligroso —un desierto blando y ondulante—, pero confiaba en obtener una amplia ventaja de su tránsito hacia Kairuán y Cartago.

No se equivocó. Se produjeron alianzas masivas de actitud pasiva y la historia de la *jihad* guerrera en Ifrikiya experimentó un giro fundamental. Las tribus y los nativos del lugar antes leales a la Kahina dieron fe de ello.

La derrota de Oued Nini y su retirada hasta Cirenaica, perseguido por las tropas bereberes victoriosas algunos años atrás, se volvieron menos pesadas para Hassan.

La facilidad con que avanzaba en tierra bereber y, sobre todo, la inconstancia de sus enemigos —que se convertían al islam a su paso— brindaron alivio a este ferviente servidor de Alá. Por otra parte, las desavenencias del pueblo bereber le brindaban, por sí solas, una gran satisfacción política.

En sus mensajes, Khaled describía con exactitud el modo en que se multiplicaban las revueltas contra la reina antes idolatrada. A tal punto, pensaba Hassan, que el enemigo me pide que lo salve de ella. No creía posible que la Kahina pudiese recuperar, al día siguiente, en un mes o en un año, ese poder sobrenatural que ejercía sobre su pueblo. Y conducirlo a nuevas traiciones. Necesitaría, pensaba el Ghassanide, obtener una gran victoria militar y reconstruir las ruinas que ella misma había provocado. Ningún estratega en su sano juicio podía planear una transformación tan espectacular e histórica. ¿Pero sólo se trataba de una estrategia?

Incluso pagando ese precio irracional, ¿cómo podría resolver la Kahina el desordenado rompecabezas de sus tribus o resucitar una paz general? Hoy, ni sus dioses, ni los ídolos de los infieles, podían lograr tal milagro. Aunque desconfiaba de la facilidad legendaria con que los bereberes —sobre todo los de las costas y los sedentarios— cambiaban de dioses y de amos. Según él, las circunstancias ya no volverían a ser favorables.

—En algunos meses, toda Ifrikiya te cantará loas, Alá todopoderoso —rezaba el gran Hassan ibn Noman el-Ghassani, imbuido de la fe de Alá y de Mahoma, su profeta.

32

La (re)conquista de Cartago.
¡Muerte a la Kahina!

Para expulsar a los griegos y enarbolar una vez más los colores árabes en Cartago, era necesario cercar la ciudad por
tierra y atacarla por mar. ¿Pero cómo podría lograrlo el general árabe si no tenía armada? Fue entonces cuando apeló a sus
virtudes diplomáticas. Convocó a Siria, que —era bien sabido— detestaba a los griegos desde siempre. La sedujo con
promesas de botín y, mientras aguardaba, le envió el oro de
Egipto. Con las defensas terrestres derrotadas por los guerreros que la sitiaban y acorralada por los barcos sirios, Cartago
capituló. Los cristianos —o lo que quedaba de ellos— debie-
ron regresar a Oriente.

El Imperio romano de Oriente había perdido en forma
definitiva su colonia africana. Esta vez, en el año 698, Hassan
arrasó la ciudad. Incluso pergeñó la idea de bloquear los
acueductos que la abastecían de agua. Ordenó saquear, matar
y ahorcar a miles de prisioneros. Quería dar la estocada final
a los bizantinos, y lo logró. Sus escuadras no debían volver a
pisar las costas cartaginesas.

Los bereberes fueron abandonados una vez más, y la victoria estuvo al alcance de los ejércitos árabes. Sin puerto, sin
la colaboración que necesitaban los sedentarios y con los nómadas desunidos, la Berbería pronto iba a convertirse en la
gran Ifrikiya del islam.

Los días y los meses se sucedieron unos tras otros. Más de un año había transcurrido desde la conquista de Cartago por el general árabe y la liberación definitiva de los infieles, del patricio Juan y de los roums. Imbuido del mismo espíritu, a dieciséis kilómetros de allí, fundó Túnez en el emplazamiento del antiguo Tunes, donde había masacrado a todos los cristianos y construido una mezquita. Abd el-Malek le envió refuerzos y contó con la ayuda de Alá. En efecto, dos ancianos, dos *sohaba*, los antiguos compañeros del profeta, ya habían predicho: "Quien se entregue un día al combate para vengar a los árabes de Túnez entrará en el Paraíso".

Como buen estratega, Hassan se ocupó de brindar a la nueva ciudad un arsenal marítimo importante. Se trataba de reemplazar la protección que Cartago, devastada en reiteradas oportunidades, había aportado en otros tiempos. Con los mapas en la mano, Hassan ordenó a los arquitectos unir el arsenal de Túnez al puerto, el puerto al lago y el lago al mar. Así se emprendieron importantes trabajos en Maxula,* orgullosa de su conjunto militar y urbano de vanguardia.

Hassan vivía preso de una impaciencia febril. Sus miles de guerreros aún no habían logrado enfrentar al puñado de *imazighen* que permanecían fieles a la Kahina. Ni doblegarla. "Aún no se han agotado sus recursos mágicos", repetían los jefes árabes a quienes la reina bereber mantenía en jaque.

Pequeños grupos djeraoua, la tribu de la que provenía, operaban como guerrillas en las tierras que Hassan creía conquistadas. Así, la Kahina sembraba inseguridad y miedo. Decenas de miles de hombres fuertemente armados y bien mantenidos, fervientes adeptos a la *jihad* y deseosos de acabar con los infieles —esa ola expansiva árabe en las tierras calcinadas— no lograban alcanzar la victoria. Tenía que haber una cuota de magia en esa guerra en que los grandes vencedores no eran capaces de acabar con los fantasmas vencidos.

El general árabe había decidido poner fin a la leyenda del pueblo indomable, mimado por el dios de los judíos, inflexible e insaciable.

—A pesar de la Kahina, siguen siendo inconstantes e incluso renegados —se burlaba Hassan—. Basta con hacer la cuenta de las tribus que desertan y se unen a nosotros.

Pero los guerreros bereberes seguían luchando, impedían que los árabes conquistaran por completo Ifrikiya, y la Kahina se les escapaba una y otra vez.

El Ghassanide quería asestar un gran golpe.

Sobre todo porque el momento parecía oportuno. Esa tarde, en la gran reunión de su estado mayor, recapituló. Después de la reconquista de Cartago, vencieron a los bizantinos y al patricio Juan,[1] y expulsaron a los bereberes. Por otra parte, la coalición sostenida por el poder de la Kahina estalló en mil pedazos. La práctica de la tierra quemada impuesta por la reina y sus guerreros, al precio de las peores atrocidades, devoró como una inmensa llamarada hombres y tierras, cosechas, rebaños y hogares, del norte al sur y del este al oeste de Ifrikiya. Los nómadas huían, las ciudades y sus habitantes ya asentados se dispersaban e iban al encuentro de los conquistadores.

—Nos reciben como libertadores. ¡La nuestra es una guerra santa! *¡Bismillah!*

---

[1] El patricio Juan, uno de los mejores generales del Imperio bizantino. Fue enviado por Leoncio, en el año 697, a reconquistar Cartago.

33
El ocaso bereber

*L*a Kahina salió al encuentro de Hassan y libró batalla tras batalla. Lanzó a sus guerreros contra las decenas de miles de guerreros árabes. A su alrededor, sus amigos caían en combate. Orgullosa y altiva, luchó a brazo partido blandiendo su venablo. Sentía el peso de la soledad y el fin del esplendor bereber. Pero no iba a permitir que su pueblo, una parte de la historia que había querido escribir, cayera en el olvido.

Constantinopla ya no la ayudaría. Tiberio III, enfrentado a las reivindicaciones de autonomía de ciertas ciudades italianas, no podía impedir el paso a la *jihad* al mismo tiempo. El imperio debía tener en cuenta la conquista árabe. Algo similar a una sabia predicción cambiaba ciertas imágenes conocidas. En el futuro, África y sus graneros de trigo, sus bosquecillos y sus olivares, ya no formarían parte de ese Imperio romano que estremeció al mundo.

Es de noche. Los ejércitos de Hassan han ocupado las regiones de Nefzaoua y de Castiliya. El brillo de la luna penetra en las grietas de la superficie blanca del *chott*. Los granos de sal, como mil diamantes, se refractan en la luz. Un espejismo de palmares temblorosos habita el aire. Una visión mortal para los hombres.

Los combatientes de Alá esperan a que amanezca para acabar con ese grupo de iluminados conducidos por una mujer. La Kahina reúne a sus jefes. Sekerdid los ha convocado en la tienda real a todos, es decir, a cinco o seis. El lugarteniente cuida el protocolo. Presenta el estado del lugar, el mapa de la región y formula algunas hipótesis tácticas. La Kahina, con el rostro vuelto hacia oriente, sólo oye el galope de los caballos. En la cabeza y en el corazón. Un silencio glaciar le endurece los rasgos; su Dios-Yahvé no le revela ninguna profecía. Sólo tiene una certeza: está viviendo el principio del fin de su pueblo y, por lo tanto, también el de ella. La breve victoria obtenida sobre el invasor, después de Tacapas, no le da nuevas esperanzas. El heroísmo desesperado de sus *imazighen*, aún orgullosos de su raza, no renovará el milagro. Gracias a su supremacía, las fuerzas árabes lograron subsanar inmediatamente los daños sufridos en sus filas.

Sekerdid habla, Agerzam* y Anaruz,* con el rostro cubierto por el velo, escuchan impasibles. Usem y Misifsen,* arrodillados en el fondo de la tienda, trazan en el suelo grandes círculos con la ayuda de ramas. Los bereberes del *litham* llegaron de Taroudant, donde las tierras rozan el gran océano. Otros, de las afiladas cimas de piedra. Algunos más, por último, del agradable litoral de Benzert o de Hippone. Sin embargo todos, unidos por su fe y su fidelidad, apenas logran conformar una escolta. No esperan que una mujer los salve —sería una locura—, sino que les enseñe a morir como han vivido: como guerreros de la causa bereber, como servidores de su unidad y de su independencia.

La reina guarda silencio. Su natural belleza, su porte altivo y su mirada luminosa señalan con su presencia el epílogo de una tragedia. Sólo la voz monocorde de Sekerdid acompaña los primeros rayos del amanecer que se cuelan por las aberturas de la tienda.

Explica que sus tropas —al oír esa palabra, la Kahina esboza una sonrisa imperceptible, sus "tropas", en realidad, ese puñado de hombres que siguen siendo fieles— irán a refugiarse a Kairuán. Un alto para recobrar fuerzas y disponerse para la batalla. Los árabes, diezmados ya por los brutales ataques, se toparán con las defensas de la ciudadela. Las puertas de la ciudad les impedirán avanzar. Así, la Kahina y sus consejeros podrán elaborar un nuevo plan.

—¿Querrás decir un plan de retirada? —pregunta con indiferencia Agerzam. Sekerdid no responde.

Entonces, la Kahina se anticipa:

—Todo es preferible antes que la esclavitud, la humillación y el fin de nuestro pueblo. —Ha hablado fuerte y con arrogancia. Buscando con la mirada a los hombres que usan velo, en voz baja agrega—: Todo, incluso la muerte.

Apenas visible, de pie en el fondo de la tienda, Khaled agacha la cabeza. Él sabe que Kairuán no le abrirá las puertas a la Kahina, que sus emisarios se lo aseguraron a Hassan ibn Noman el-Ghassani. Que los mensajes enviados a su tío constituyen el final de la resistencia bereber. Que la *jihad* vencerá.

Muy pronto, el Magreb, el "traidor lejano", será tierra de Alá.

34

Khaled se niega

¿**P**or qué Khaled, el árabe traidor, aún forma parte del campamento bereber? ¿Por qué cuando la Kahina le ofreció la libertad, la víspera de su insensata aventura contra Hassan, él la rechazó?

Fue en Thumar, en esa ciudadela suspendida en las alturas donde había vivido algunos años, como hijo y amante de la Kahina. "Como traidor, sobre todo", ironizaba Khaled para sus adentros. Sí, pero fiel a su raza.

—Si quieres reunirte con tus hermanos, Khaled, sube a tu caballo y márchate en dirección al océano o a los desiertos de Tripolitana, corre, ve a reunirte con tus hermanos, con tu tío Hassan, ve a combatir con ellos.

Khaled recuerda el día en que Sekerdid puso en marcha a sus ejércitos. No podían esperar la llegada del invasor. De acuerdo con la táctica que lo había conducido a la victoria, el general bereber debía ir a su encuentro. Como en la batalla de Oued Nini, donde Hassan, más allá de Oued Meskiana, fue derrotado y perseguido por sus tropas victoriosas. No, la Kahina no va a esperar a que vengan a destruirla. Saldrá a exterminar a quienes creen que ha llegado su fin. Su estrategia, simple, exigía que abandonara el Aurés, bordeara el macizo, llegara a Castiliya y luego a Capsa, al sur de Bizacena. Y obligara, por la fuerza, a Hassan y a sus miles de jinetes y guerreros a dar marcha atrás.

¡Cuánta ingenuidad! ¿Qué loca ilusión ocupaba la

mente de la Kahina para creer que podía llegar así a los *chotts* y derrotar al ejército árabe más poderoso de todos los tiempos? La *jihad* guerrera debía, por fin, asestar el golpe definitivo. Damasco le brindaba los medios y el contexto lo permitía. *¡Bismillah!* Sobre todo, porque la Kahina, cada vez menos inspirada, se limitaba fundamentalmente a dos profecías. En su interior retumbaba el galope continuo de los caballos, la nueva *jihad* del invasor árabe. Y revivía a menudo su final, esa visión horrenda: ella decapitada y su cabeza, sonriente, descansando sobre un cofre de cedro.

Los acontecimientos aceleraron y aumentaron las tareas de Khaled y de sus emisarios. Con la religiosidad de un devoto, le comunicó a Hassan los daños de la tierra quemada, la desunión y la rebelión de algunas tribus, el movimiento desordenado de los guerreros bereberes, y el estado, en fin, de su gran adivina e ídolo, la Kahina.

Fue su ídolo. Pero hoy, debido a las crueldades infligidas a su pueblo y a su comportamiento tiránico y absolutista, había descendido del pedestal.

Khaled podía dar testimonio de ello. Quienes seguían siendo fieles, lo eran más a su pueblo que a su reina. Sin embargo, por desesperación, desacuerdo e imposibilidad de llenar un vacío, continuaban en ese camino. La divinidad los había conducido a divinas victorias. Con Kuceila, luego, como su sucesor. Y ahora, ¿quién podría ocupar su lugar y ser el nuevo soporte de un pueblo diezmado y aniquilado?

"De todas formas, mi lugar es al lado de ella —se decía Khaled—, debo seguir los itinerarios, para informar. Además, estaré en el primer puesto de observación durante el movimiento de las tropas y los enfrentamientos. Así, podré seguir enviando mensajes y emisarios a Hassan el grande. Ese es mi aporte a la victoria de mis hermanos. Más importante que aguardar en la tienda de Hassan la avanzada inexorable de nuestros guerreros".

Poco a poco, reforzaba su rechazo a separarse de la Kahina.

—No, madre, no puedo abandonarla —ironizaba—. En primer lugar, debo protegerla de usted misma. —Khaled sentía que los argumentos le resultaban insuficientes, y disfrazaba sus verdaderas intenciones—: Sí, es necesario que la proteja contra su locura, contra ese destino que cree escrito, y que intente salvarla.

Luego se lo reprochaba. Ella, la profetisa, la guía, la mujer que había logrado unificar a las tribus de Ifrikiya y bregaba por la gloria del pueblo bereber, era a quien debía aniquilar. Como responsable y estratega de esas guerras, de esa destrucción, y como alma de la resistencia de los infieles a Alá, la Kahina debía desaparecer.

Lúcido e inteligente, Khaled se negaba a perderse en la confusión en la que se hallaba sumido. Sabía que estaba rechazando una parte de la verdad. Censuraba su espera de cada atardecer, la prisa que, apenas caía la noche, conducía sus pasos hacia la tienda de mando, hacia el lecho de su reina, hacia su belleza lasciva, hacia el milagro renovado de sus cuerpos... Por más que quisiera convencerse de que esa relación contranatural acabaría, de que —por otra parte— era necesario que así lo fuera, no se resignaba a anticipar el final. Por el contrario, se sorprendía deseando cada mañana la dilación que promete el día siguiente, el imprevisto que retrasaría el *mektoub,** en resumidas cuentas. Al mismo tiempo, imaginaba cien veces la estrategia que derrotaría a los bereberes. Deseaba que fuera inmediata. Y sugería en sus mensajes al Ghassanide que apresurara el ataque.

35

El principio del fin

En Kairuán, los acontecimientos se desarrollaron tal como estaba previsto. Tal como Khaled lo había previsto.

Cuando las tropas bereberes que la Kahina y Sekerdid conducían cabalgando codo a codo se presentaron ante las puertas de la ciudadela, al cabo de un extenuante viaje por las arenas inseguras y la estepa árida, las encontraron cerradas. Sekerdid envió emisarios, pero regresaron sin novedades. Los habitantes de la ciudad, ricos artesanos y comerciantes, habían elegido su bando. Una vez más, el del supuesto vencedor. Voluble como tantas otras, la población se preparaba para agasajar al enviado de Damasco.

La Kahina, insensible a las inexorables quemaduras del sol, se alejó del grupo de los emisarios y los jefes de tribu. Le ordenó a Abudrar, su caballo, que diera media vuelta. Había comenzado a cabalgar al paso, al pie de las murallas donde crecían cactus y laureles. Hoy hostiles, esos muros fueron testigos en tiempos lejanos de la epopeya de Kuceila. Esa plaza de armas fundada por Okba ibn Nafi, esa fortaleza que simbolizaba el poder árabe, había sido recuperada por Kuceila hacia el año 683, después de la victoria de Tahuda.

La reina revive su primer encuentro con el príncipe de príncipes, en el mismo campo de batalla. Su emoción de joven mujer. Su fascinación por ese jefe intrépido y valiente. Rememora sus ironías con respecto a la mezquita: "Grandio-

217

sa, la más grandiosa del mundo musulmán". Kuceila la defendió: "Y que debemos respetar".

Hassan ni siquiera conquistó la ciudad de Kairuán, pues esta se entregó tras la muerte de Kuceila. El general árabe, derrotado por la Kahina en su primera expedición, hizo un alto en el lugar. "El tiempo necesario —le confiaron a la Kahina— para reconstruir la gran mezquita".

Esa ciudad se convirtió en su enemiga después de la muerte de Kuceila. La Kahina sabe que no le brindará refugio, aunque esa certeza la deja indiferente. La suerte está echada. Sin embargo, le resulta difícil soportar que esos jardines con fuentes y múltiples chorros de agua, esas luces tornasoladas o el ocre rojizo de las piedras, testigos de su apasionada vida al lado de Kuceila, olviden su magnífica unión y desaparezcan bajo la uniformidad árabe. ¿Qué fue del palacio de mármol con terrazas almenadas donde compartió a su lado durante cinco años el poder y el amor de igual a igual?

"Debemos volver a nuestras montañas del Aurés; nuestro pueblo nos está esperando". Todavía lo recuerda: Kuceila dio la orden de ese modo. El idilio debía cambiar de destino. Los voluptuosos amantes tenían que transformarse en jefes, en una pareja de jefes, en la conducción política y militar de una nueva y gran Berbería.

Regresan los emisarios. Kairuán, ciudad fundada, embellecida, mimada por los enviados de Alá, rechaza a la mujer cuya belleza y juventud había admirado años antes. "Estoy vieja —piensa— y presagian mi fin". Y Kairuán se ha ubicado siempre a la vanguardia de los victoriosos. Entonces, acaba por parecerle casi natural que las pesadas puertas de la ciudad no se abran y que le rueguen a su séquito que se aleje...

Con un gesto lánguido, pero siempre altiva en su montura, da indicaciones. Le da la orden a Sekerdid de partir hacia Thysdrus.* Ese anfiteatro romano construido por César, tan grande, dicen, como el coliseo de Roma, seguía intacto. En sus gradas de piedra, abajo, en el foso de los animales, en la arena o en los pasajes subterráneos que lo irrigan, un centenar de guerreros y los pocos jefes djeraoua que le serán fieles hasta la muerte —lo sabe bien— podrán ocultarse. Para despistar más al enemigo y hacerle pagar caro sus combates finales.

Entonces, es necesario dirigirse hacia el este. El grupo se pone en marcha en forma ordenada. La Kahina y Sekerdid encabezan siempre la tropa, seguidos por Khaled. El polvo y el calor son agobiantes.

Mientras el itinerario lo permitía, el cortejo bordeaba un bosque de alcornoques, cuya majestuosa sombra le servía de refugio. Pero a los alcornoques siguieron los olivos que dibujaban cuadrículas en los campos, hasta perderse de vista en las orillas del mar. Era pobre el refugio que brindaban esas ramas nudosas, abrazadas a troncos aún frágiles.

—Hacen falta diez años, quince años para que den aceitunas —murmura, como en un sueño lejano, el sueño de una vida pasada, Misifsen, quien piensa en sus campos en la llanura, a lo lejos. El sol en el cenit es una bola de fuego.

Sekerdid ha adivinado el plan de la Kahina, el de la última oportunidad. Desorientar, matar y torturar a cuanto enemigo se interponga en el camino. Luego, huir o morir.

—Pienso que un pasaje subterráneo, que cavaríamos a partir de los subsuelos romanos, nos permitirá ganar nuevamente nuestras montañas por el norte. Si no lo logramos...

Los jefes bereberes no necesitan ninguna otra explicación. Al lado de esa mujer única, cuyo coraje e inspiración divina hicieron de ellos héroes felices, habían contribuido al objetivo esencial de todas sus guerras: la unidad del pueblo bereber y la integridad de su territorio.

¿La tierra quemada? Fue un error estratégico. ¿La hambruna? Una maldición del cielo y de las estaciones. ¿La crueldad, la tiranía de su reina? Iabdas, Madghis y otros antepasados no eran recordados por ser especialmente humanos.

Sekerdid se acerca a Dihya —para él, sigue siendo Dihya— y la observa. Cubierta de polvo, con su túnica azul profundo manchada, y suspendida del costado de Abudrar, la Kahina ya parece vencida. El oro rojizo de sus cabellos peinados en gruesas trenzas se ha vuelto gris. Pero conserva hasta el final esa actitud solemne, a pie o a caballo, erguida y orgullosa.

⁂

La muralla romana se levanta a lo lejos. Es Thysdrus. Ladran perros mientras desfila el triste cortejo. Los caballos, exhaustos, presienten la cercanía del establo y resoplan. Los siguen los dromedarios, cargados de armas y víveres, que lanzan su extraño grito. ¿Sabrán, tal vez, que están en el puerto?

Ha caído la noche, aunque todavía se distinguen los manchones de flores de romero y los arbustos con las ramas aún cargadas —a pesar de la estación— de mimosas con bolitas de oro.

Las órdenes se cruzan. Alto. Desplieguen las tiendas. Ubiquen a los centinelas.

La Kahina se apea y acaricia instintivamente el cuello del animal. Más que nunca, Abudrar necesita oír su voz y sentirla cerca. Apoya la boca sobre el morro del animal un instante. Luego se acerca a los hombres que arman su tienda. La rodea.

Sabe que va a encontrar allí, como en cada campamento, la alfombra tejida por su abuela Baya.* De niña, a su lado, la Kahina sugería que le bordaran peces y pájaros.

—¿Ves esta mano y sus cinco dedos extendidos? —le

decía la abuela—. Te protegerá contra todos los enemigos, contra el mal de ojo, contra la mala suerte...

El dibujo multicolor, en que el rojo predominaba —"el rojo gana", le explicaba—, había conservado su brillo. También estaba allí el largo pez de escamas doradas, como en su propio tatuaje en el hombro derecho.

Sus virtudes —protección y buenaventura— serían, se lo habían asegurado, su mejor escudo contra la adversidad.

Su madre, Tanirt, tomó el mismo huso y terminó de tejer la misma alfombra. La imagina aplicada y concentrada en el hilado, a la espera de una frase o de un gesto de aprobación de Thabet, su amo y señor. En general, él pasaba distraído frente a las lanas de colores y los instrumentos para hilar que su esposa llevaba consigo en todos los viajes. Sin decir una palabra. A veces, cuando el diseño de los objetos, los animales y las líneas geométricas componían un todo, Thabet se detenía, miraba, y luego preguntaba riendo:

—Esos pájaros abrazados a unos peces, ¿qué pueden decirse?

Tanirt se reía. Lo importante era que su esposo le hubiera dedicado un poco de tiempo, tan poco, a ella. Porque ella existía, a fin de cuentas.

—Era tan sólo una mujer —resumía Dihya.

Para la Kahina, esa alfombra era una señal. Su cercanía le despertaba siempre una breve emoción que la sumergía en la infancia. Y siempre, también, se distanciaba rápidamente de ese sentimiento para volver a ser la reina absoluta de su destino. Buscaba en esas formas tejidas con tanto cuidado una razón —¿se trataba en verdad de razón?— para contradecir, si era necesario, al famoso *mektoub* escrito por Dios-Yhavé para su pueblo y para ella misma. Si esas reproducciones, como amuletos o brebajes encantados, tenían el poder de burlar la desgracia y someter al enemigo, era porque la omnipotencia de Dios... "Algunas veces divago", rectificaba al borde de la blasfemia. Adivinaba su futuro y el de su pueblo; la voz divina le era transmitida. Entonces la superstición, las imágenes o los objetos contra el mal de ojo quedaban reservados para el común de los mortales. No para ella, la elegida, la profetisa.

Como sea… Al igual que en un ritual de asentamiento, aguarda a que desplieguen la alfombra, la roza con los dedos suavemente, luego se incorpora y se marcha…

La tienda está lista; el consejo de guerra debe comenzar. Sekerdid reúne a su gente. Agerzam llega primero, con las pupilas dilatadas, ajustando el *litham* que le oculta el rostro. Usem, Misifsen y algunos más se agrupan frente a la entrada. La Kahina ha intentado arreglarse el cabello con la ayuda de Tagwisult,* la valiente criada que la acompaña en sus expediciones. Tagwisult ha llenado de agua un bol de arcilla. Con un paño suave, seca el rostro de su señora y unta sus rasgos cansados con una máscara de plantas aromáticas. La reina tiene el deber de conservar cierto brillo; están en juego su propio equilibrio y su autoridad.

—Anaruz, acércate —le dice a su otro jefe de las tribus del oeste.

Sekerdid habla en primer lugar. La situación es calamitosa, los bereberes no tienen ninguna posibilidad de vencer. Ese puñado de rebeldes no podrá resistir mucho tiempo.

—Estamos dispuestos a morir por ti, oh *cheikha* de toda la Berbería, ¿pero cuál será el futuro de nuestro pueblo?

Usem se expresa en el mismo sentido y Misifsen, su compañero, señala que sólo dispone de un centenar de guerreros bajo su mando.

Impasible, la Kahina guarda silencio. Siempre ha esperado la opinión de sus jefes de tribu antes de hablar.

—Noble Kahina, sólo hay una solución... —Sekerdid hace una pausa—: Debemos negociar...

La frase rompe el silencio. Se oye un rumor de voces: los expertos, los nómadas y los sedentarios intercambian sus puntos de vista. Negociar, ¿pero a qué precio? Rendirse, pero siempre con honor. ¿La contrapartida? ¿Los prisioneros? ¿Cómo proceder al reparto de las tierras? ¿Y el botín que exigirá el enemigo? La Kahina se yergue, esbozando una leve sonrisa. Espera con paciencia el final de la ruidosa interrupción. Sekerdid llama al silencio:

—Nuestra reina va a hablar.

La Kahina hace un gesto para que el círculo se cierre alrededor de ella. Las antorchas se amontonan.

—¿Negociar, dices, noble Sekerdid? ¿Pero no sabes que todos los emisarios que le envié a Hassan fueron decapitados? ¿Que nuestras propuestas ni siquiera llegaron a sus oídos?

—Justamente —replica Anaruz—, hay que encontrar el modo de hacerle saber que queremos dejar de pelear.

—¿Pero cómo hacerlo si nuestros enviados mueren incluso antes de hablar?

Sekerdid sabía que Hassan no se había reunido con ellos, por lo que insiste en que deben volver a comunicarle la propuesta de paz.

No le ha pasado inadvertida la gravedad del momento. Es necesario decidir. La muerte no significa nada cuando no se la padece. Él sabía, desde siempre, que la suya era tan sólo una parte de la muerte de otra. Como su vida, que no llegaría a ser sino la sucesión de momentos unidos a otra vida. Había deseado y elegido esa dependencia. Sin embargo, era libre cuando murió el gran jefe Kuceila. Nada lo había obligado a convertirse en el edecán de una amazona que había abrazado la causa bereber y decidido resistir, en una especie de locura, a los invasores árabes. Nada. Salvo que se sintió atrapado por la luz mágica y la belleza de una reina elegida por Dios, Dihya.

Tal vez fue víctima de un hechizo. No quería creerlo. Como viejo militar, admiraba su poder sobre las tropas y su estrategia voluntariosa en el campo. Que el comandante en jefe de esos ejércitos unificados fuera una mujer sólo podía aumentar y explicar lo extraño de su suerte. Y que esa mujer representara al mismo tiempo el más bello homenaje al amor carnal, la volvía única. Desde que la conoció, el destino de Sekerdid dependía sólo del destino de la Kahina, en toda su diversidad. Entonces, su muerte, cuando sucediera, no sería la suya, sino la consecuencia lógica de una antigua desaparición, la de su vida.

La luna se desliza entre algunos nubarrones vagabundos.

—Voy a vigilar. Por el momento, hay que descansar porque libraremos batalla al amanecer; he oído en la cabeza el galope de los caballos árabes...

Sekerdid comprende. La reunión llega a su fin. Sabe que muy pronto Khaled será su sucesor.

36

La compasión de Khaled

Como las noches anteriores, Khaled intenta convencer a la Kahina.

—¡Quiero salvarte, te salvaré! —repite.

Ella debe deponer las armas, firmar una paz con honor, que permitiría el trazado de fronteras seguras y el reparto de los poderes. Cada uno elegiría su Dios y su religión.

—¿Y la *jihad* guerrera, y la guerra en nombre del islam? —replica la Kahina irritada.

—Ya hablaremos de eso, Dihya, lo que quiero es que salves tu vida.

Khaled la mira. El cansancio se ha instalado en sus rasgos a pesar de los cuidados de Tagwisult, la criada. La túnica se le ha desgarrado y se le abre por debajo de los brazos, entre los broches de plata. En ese momento, se siente examinada y expuesta. Se endereza y se echa sobre la espalda, con un movimiento brusco, las dos gruesas trenzas deslucidas —su soberbia cabellera pelirroja de antaño—, y se dirige hacia él, tan erguida que, de pronto, al árabe le parece más alta de lo que en verdad es.

—Escucha, Khaled, para negociar hay que dialogar. —Y con una risa triste, agrega—: Pero nuestros emisarios fueron asesinados apenas llegaron al campo árabe, entonces...

La paz —o la tregua— no puede tener otra finalidad que la de salvar a su pueblo y perpetuar la raza; él debe saberlo. Un ejército de fantasmas por el momento, unos centenares de héroes destinados a morir, eso es su pueblo. Khaled cuenta mentalmente las tribus nómadas y los sedentarios de las ciudades que ya se han unido a Hassan: la mayoría de ellos se han convertido al islam.

Como si ella hubiera adivinado sus pensamientos, les predice a los traidores, a los que cometan apostasía, que serán aniquilados por sus nuevos amos. Con el fulgor de antaño en la mirada, habla, habla como para estimular, entre los montes y los oasis, a quienes no están de su lado.

—Nuestros antepasados siempre combatieron con honor, despreciaron el oro, los castillos, los bienes de esta tierra...

No quiere confirmar las certidumbres de Khaled, sino todo lo contrario. Le asegura que se consumará la gran coalición de los sanhadja y los nefusa en torno a los djeraoua, su propia tribu. Los habitantes de las ciudades se sumarían a su paso...

Subyugado por esa voz decidida, ese porte altivo bajo las ropas hechas jirones, ese coraje, el árabe guarda silencio. Luego se anima a repetir otra vez unas palabras, las mismas:

—Deberías de transmitirle un mensaje de paz a Hassan. Yo te ayudaría a hacerlo...

—Sé que puedes —responde la Kahina, dominando su ira, y agrega—: Tú, que nunca dejaste de estar en el campo enemigo. Incluso cuando hacíamos el amor...

Khaled permanece inmóvil. La acusación no lo afecta: es un impostor, no puede ser otra cosa, y Dihya lo sabía. Siempre lo supo.

En ese momento, lo invade una inmensa compasión. Esa mujer vencida, taciturna, se ha transformado. A medida que explicaba —"cargo un pueblo sobre las espaldas y no sólo mi vida"— que su destino no importaba mucho y que sólo la supervivencia de su clan estaba en juego, iba reconstruyendo su pedestal. De nuevo se presentaba, bajo su mirada, como diosa e inmortal. Incluso esas últimas noches había ido a buscarla a su tienda, en cuanto se aplacaban las escaramuzas con los árabes. ¿Era sólo compasión?, se preguntaba el árabe. ¿Sólo por compasión había rechazado la libertad que ella le había ofrecido siempre? ¿O para permanecer cerca de las fuentes de información necesarias para Hassan, su tío? Entonces, ¿habría que borrar esas horas fuera del tiempo, fuera de la guerra, del mundo y de la vida de los demás que él disfrutaba, pegado a sus labios y a su cuerpo? La Kahina parece descubrir el pensamiento de su amante.

—Seguramente Tayri, nuestra vidente, te ha contado cosas sobre mi vida.

Con un gesto lánguido, la Kahina intenta desatarse las trenzas.

—Déjame ahora.

Quiere descansar, antes del combate del amanecer. Khaled se acerca, le toma las trenzas de las manos y las deshace lentamente, con dulzura. Los cabellos enmarcan el rostro desmejorado, pero que aún irradia una suerte de luz. "La nobleza", piensa. Es más fuerte que él, se aprieta contra el rostro de ella, la besa, vuelve a empezar, la cubre de besos breves, quiere sorprenderle la boca, la lengua.

—No, déjame, por favor. —La Kahina lo aleja, hunde su mirada verde en los ojos de Khaled, se acerca y le apoya la cabeza en el hombro—. Estoy tan sucia... tan cansada.

Entre murmullos, se recuesta contra el tronco de un gran olivo, y lo empuja hacia el baúl de cedro rojo recubierto de piel de oveja. Detrás, inflexible como el destino, cae la alfombra de sus abuelas. El pez de las escamas de oro y la mano con los cinco dedos invencibles, ¿bastarán para volver a encauzar su vida y dirigirla por el buen camino? "Buen camino", la expresión favorita de su madre. Le explicaba a su hija, cuando aún era una niña, que ella misma había vivido como una mujer sumisa, al igual que su madre, su abuela y su bisabuela.

—Y tú, mi rosa de Chetma, vivirás así, como una buena *tamazight*.

Dihya movía la cabeza:

—No, madre adorada, no, yo tendré otra vida...

Sin saberse predestinada, creía en un porvenir especial. La Kahina ha resistido el vértigo de los cuerpos. Mantiene a Khaled alejado.

—Vete, vete, ya estoy vieja —repite en voz baja.

Khaled regresa a su tienda en el otro extremo del campamento. Se siente atrapado en un huracán. La Kahina, siempre tan bella, curtida por los golpes que ha recibido y por los que ha dado, casi no ha envejecido, como declara, desde que partieron de los montes del Aurés. Y la pasión de ambos no se ha debilitado en lo más mínimo. Si se dice vieja, es para simbolizar el fin de una historia que no puede sobrevivir al paroxismo guerrero del presente. Ella no volvería a ceder, y él lo sabía. En adelante, él sería el árabe de identidad incierta, el hijo, ya que la adopción según los ritos era irrevocable. Sin duda, el enemigo siempre lo había sido.

Mientras se duerme, su sed de ella lo inunda. El placer único, dado, compartido.

Por la mañana, camina con precaución a lo largo de los matorrales que conducen al límite del campamento. El espía, puntual, lo espera. Khaled le entrega su último mensaje para el general el-Ghassani. "Los frutos están maduros. La Kahina, en situación desesperada, abandonada por sus tribus, pero siempre reina y estratega".

37

Thysdrus: Khaled se marcha

*L*os exploradores de Hassan le indicaron la ubicación del asentamiento bereber en Thysdrus. Su plan inmediato consistió en rodear el anfiteatro romano y, luego, proceder a sitiarlo.

—Nadie debe entrar ni salir. Los secuaces de la Kahina que permanecen a su lado morirán de hambre y de sed.

Inclinado sobre la gran mesa de su tienda, el general árabe traza con el dedo, para los jefes que lo acompañan, las fronteras de lo que no tardaría en convertirse en el cementerio de los djeraoua. De los que aún seguían con vida.

Hassan recibía todos los mensajes de su sobrino. Sabía que las profecías de la reina ya no tenían valor.

—Que ahora me enfrente una mujer, una supuesta reina —repetía—. ¡Y que venza a mis ejércitos mientras retrocede!

El recuerdo de la dolorosa derrota de Oued Nini volvía a aflorar en él, alimentado por las victorias esporádicas de la reina bereber, "a pesar de que sus tropas realizan un movimiento de repliegue general", observaba, ácido, Hassan. Era evidente que su humillación no cesaría hasta que no desapareciese esa iluminada.

La Kahina era la responsable de la hambruna, pues la había provocado al devastar la región. Había elegido quemar la tierra de sus antepasados antes que entregársela al invasor. Fue entonces cuando Khaled le recomendó a Hassan en sus mensajes que retrasara el ataque. "¿Cómo, dónde y con qué lograría subsistir tu ejército en su avanzada contra los infieles?", le escribía. "Espera, espera, ya vendrán días mejores...". De todas formas, los nómadas y los sedentarios, las tribus de las montañas y los habitantes de la costa, se habían alzado en armas contra ella. "Hoy la abandonan; mañana se sumarán a ti". Así, Khaled se mostraba como un estratega político sagaz.

El reducido grupo de guerreros bereberes se parapetó al pie del anfiteatro construido por la Roma de los emperadores. Ese coliseo, que surge en medio de las estepas áridas como un imán ovalado, al sudeste de Kairuán, será testigo de los últimos combates de la Kahina. Ella lo descubrió grandioso, a medida que se acercaba. Khaled le había dicho que ese anfiteatro nada tenía que envidiarles a los de Roma y de Capoue.

Al frente de sus guerreros, había llegado allí una noche, cuando el sol se ponía entre las piedras de greda dorada y levantaba en el horizonte un muro de luz ocre.

—Vean, se cierra sobre sí mismo, como se cerrará tal vez sobre nosotros.

La situación había empeorado; los musulmanes ocupaban, en forma de pinza, tierras al sur, al este y al norte de Ifrikiya.

Quedaba ese islote de resistencia alrededor de Thysdrus y una franja alargada, paralela al mar, al sur de Kairuán hasta las cimas del Aurés y las cumbres de Thumar.

Por su parte, Hassan continuaba su maniobra de cerco para bordear el Aurés por el litoral. Thamugas, Lambèze, Théveste, todo había ardido bajo las antorchas de la Kahina y de su séquito.

Desde hacía dos semanas, tras largas conversaciones con su reina, Sekerdid llevaba a cabo un plan secreto.

En Thysdrus, los romanos habían construido recintos en los subsuelos, donde encerraban a los animales o a los cristianos destinados a las fieras. Ese pasaje subterráneo daba la vuelta al anfiteatro. Incluso habían cavado un pozo profundo de agua en el lugar.

La luz tenue que se colaba entre las baldosas de piedra caladas iluminaba débilmente los recintos y las galerías.

—Pondremos algunas antorchas para trabajar allí —decidió Sekerdid. Sabía que debía sacar provecho de esa organización arquitectónica.

Una noche de tribulaciones, después de resistir una vez más el ataque árabe, a la profetisa se le había ocurrido la idea de abrir una especie de túnel que pasara por debajo de las tiendas enemigas hasta desembocar en un extremo del bosque de olivos hacia la ruta del Aurés, al amparo de cualquier mirada. Ese pasaje subterráneo permitiría el transporte de víveres y, agregaba Sekerdid, el paso de los ejércitos bereberes —"ejércitos bereberes... ese pobre grupo esquelético", ironizaba, con una sonrisa lúgubre, la Kahina— hacia el camino de sus montañas y hacia el Aurés. Así los "ejércitos" podrían soportar el sitio mientras esperaban el momento oportuno para acabar con el encierro destinado a asfixiarlos. Y todo eso, en presencia del general Hassan, que estrechaba el cerco alrededor del majestuoso anfiteatro.

Alternándose en sus puestos, hasta el límite de sus fuerzas, los bereberes habían reemplazado sus venablos, sus lanzas y sus ballestas por los instrumentos que acababan de fabricar

y, boca abajo —la boca hambrienta, en situación desesperada—, arrodillados, de pie, cavaban, cavaban...

Con el correr de los días, el pasaje subterráneo se exten-
día. Los hombres, muertos de hambre y de sed, preferían
morir en la tarea antes que dejarse vencer por los bárbaros.
Jadeaban, sostenidos por el espejismo del agua. De acuerdo
con su táctica de tierra quemada, la Kahina había mandado
envenenar todos los pozos de agua ubicados en el camino que
tomarían los invasores. Debido a la táctica del Ghassanide y
las exigencias de la retirada bereber, ambos bandos compar-
tieron equitativamente los sufrimientos. Los cascos de los caballos árabes se toparon con algunos de esos pozos mortales.
Otros jalonaron el camino de los bereberes. Todos conocieron los tormentos de la sed, y quienes, desesperados, se sacia-
ron a pesar de todo en las aguas fatales, murieron en medio
de convulsiones atroces.

Khaled ya no podía comunicarse con el Ghassanide.
Sitiados y encerrados, los bereberes ya no amasaban pan. Y
aunque hubiera podido ocultar de alguna otra manera sus
mensajes, no podía enviárselos al general árabe. Ya no había
emisarios.

Pero al sur de Kairuán la impía, la Kahina había reserva-
do en secreto algunas fuentes, para asegurar la subsistencia
de sus hombres más allá del resultado de los combates. El pasaje subterráneo los conduciría a esos pozos, en cuanto atra-
vesaran el bosque de olivos.

En el silencio del inmenso circo, bajo la luz de las estrellas o bajo los rayos de un sol implacable, el túnel empezaba
a definirse, y roía la tierra que habría de conducirlos, bajo las
tiendas enemigas, hasta la luz. Y hasta el agua y el alimento.

Así soñaban los hambrientos.

Llegó el momento, y ya no habría otro.

Sekerdid pronosticó la apertura del otro extremo del túnel, el de la libertad o la muerte, para el día siguiente. Apoyando el oído contra el suelo, como acostumbraba hacer, la Kahina anunció que el pasaje subterráneo había superado las líneas enemigas y que desembocaría detrás de sus centinelas.

Su plan de guerra ya no permitía prórrogas. Resistiría hasta el límite de sus fuerzas, rechazaría todas las intimaciones y mataría a todos los bárbaros que se cruzaran en su camino.

Si sobrevivía, sería sólo para lograr que su raza perdurara. Entonces, a través del túnel, emprendería, con su exiguo séquito, la larga ruta de las montañas. Y en Thumar, entregaría la posta. El pueblo bereber, nacido de la noche de los tiempos, conducido por Madghis, Iabdas, Enfak y Thabet, su padre, no podía desaparecer. Su tribu —los djeraoua— conservaba la llama de David, el antepasado. Asumiría sola la etapa final. Con Sekerdid, quizá, símbolo de la unidad con los branes, "el hombre que sucedió al gran Kuceila, y al que siempre he tomado entre mis brazos".

—Ha llegado el momento. Ya no habrá otro —se repite la Kahina frente a Khaled, a quien ha mandado llamar—. Debes irte, debes reunirte con tu señor.

Khaled no responde. Ella es su señora, ella, que ha reinado sobre él durante tantos años. Toda una vida.

—Eres libre y hoy...

—Ya me lo has dicho, ya me lo has dicho, Dihya. Y te he dado una respuesta —interrumpe Khaled, aunque su mirada duda. Sabe que el fin está cerca y quiere convencer a su tío Hassan de perdonarle la vida. No se mata a una divinidad, ni siquiera a una divinidad que ha caído de su pedestal.

—Voy a regresar al Aurés, Khaled, y ya no tienes cabida allí... —continúa la Kahina.

—¿Y cómo romperás el cerco?

—Con mis dotes de hechicera —replica seriamente.

—No me iré hasta que tenga la certeza de haberte salvado.

Dihya lo mira. Khaled no quiere ceder.

—¿Cómo podrías plantearlo y con quién, si estás sitiado con nosotros? —Y agrega, sonriendo—: Para eso, debes unirte a Hassan. Desde Thysdrus, no puedes hacer nada.

Entonces, la Kahina reconoce la supremacía de Hassan, piensa Khaled, sin revelar su ardid. Hoy, ella persigue un único fin: convencer a Khaled de que monte a caballo y se reúna con sus hermanos.

—Si no —prosigue Khaled—, quiero morir contigo...

La Kahina sonríe nuevamente. Esta vez, la sonrisa le despeja la tristeza que le cubría el bello rostro. Por un instante, esa sonrisa también lo colma de ternura. Entonces, no era tan simple ese placer de los cuerpos. No era tan frágil ese vínculo misterioso.

—Tu califa sigue siendo tu jefe. Debes sumarte a él. Tenemos los minutos contados, ¡vete!

Khaled se acerca a Dihya, que retrocede como a la defensiva. El muchacho debe irse de inmediato; cualquier otra explicación —o un último abrazo— retrasaría la decisión. Debe irse.

—Vete, vete —repite ella, suavemente.

Khaled la contempla inmóvil, como para llevarse consigo su imagen. No volverá a verla. Se produce un largo silencio. Khaled la mira una vez más. Luego gira los talones con violencia, alza la cortina que cierra la tienda real y se interna en el camino.

La Kahina permanece inmóvil. Observa las armas contra el mal de ojo bordadas en la alfombra de su abuela, el pez y la *khamsa*. Luego se lleva la mano al pecho, como si le doliera. En ese mismo instante, el galope del caballo de Khaled marca el fin de una parte de su vida. "Le había regalado ese caballo árabe el día en que lo adopté". Pensativa, se pregunta si Khaled lo recordará.

38

El sitio: la muerte de Sekerdid

Los días pasaban y los hombres morían. Resistían hasta el límite de sus fuerzas, gracias a la ración de trigo o de cebada que distribuían sus jefes y a la cantimplora de agua compartida entre varios. Luego, sin que una flecha de ballesta les atravesara el pecho, sin que una lanza les perforara los ojos, sin que un venablo hiciera brotar de sus vientres mares de sangre, se desplomaban y morían. Literalmente. En silencio.

Con cada muerte, la Kahina se sentía amputada. Pues una parte de su clan, de sí misma o de su cuerpo desaparecía. Con cada muerte, ordenaba, fiel a los ritos bereberes, la ofrenda de una sepultura. No temía, como casi todos los *imazighen*, que los muertos abandonados la frecuentaran; sólo quería seguir comunicándose con ellos, en sus sueños del futuro.

En Thysdrus, no había futuro. Para la Kahina, el futuro se circunscribía a resistir con sus hombres, y cuando las legiones de Hassan bajaran la presión, a intentar la retirada y alcanzar el bosque por el norte.

—Nos estamos consumiendo, oh mi reina —le dijo aquel día Sekerdid—. Nuestra gente está agotada. El hambre y la sed acabarán con nosotros tarde o temprano.

Y le presentó un plan intermedio, de urgencia: sin aguardar una nueva acometida del general árabe, atacar por sorpresa el frente oeste, que le parecía cada vez más desguarnecido. Sekerdid tomaría la delantera con tres hombres, y después enviaría un emisario por el pasaje subterráneo. La misión era arriesgada.

—¿Entonces quieres abandonarme, fiel Sekerdid, y dejarme sola para conducir a los hombres que nos quedan?

El incondicional guardaespaldas protestó. En Mems —por si no lo recordaba— no se había alejado de Kuceila hasta su muerte. Y, muerto Kuceila, se había puesto en cuerpo y alma al servicio de ella, de Dihya, de la profetisa de Dios.

—Volveré, noble Kahina, y todos juntos podremos rodear el flanco árabe al noroeste y cercar sus máquinas de guerra para prenderles fuego. Al ser de madera, arderán con rapidez y así pondremos fin al sitio.

La Kahina parecía escéptica. Teniendo en cuenta la proporción de las fuerzas, las probabilidades de que semejante operación resultara exitosa eran casi nulas. Consultó con los oráculos y escuchó los latidos de su corazón cuando se le subían a la cabeza e intentó adivinar su suerte y la de los suyos para los días venideros. Se golpeó el pecho, en trance, con un pañuelo rojo alrededor de las caderas, arrastró sus largos cabellos por la tierra dibujando círculos... y, lamentablemente, nada. Acercaba el oído a las piedras, detenidamente. Nada. Ya no oía ni veía nada. Dios-Yahvé tampoco le hablaba ni la inspiraba. Y eso, en sí mismo, sellaba el fracaso bereber. Su fracaso.

—Sé que no podré convencerte, Sekerdid. Tu conocimiento de la guerra excede tanto mi experiencia... El gran Kuceila te lo ha enseñado y yo no podría superar a mi señor —lo mira con ansiedad y agrega—: Vete, querido Sekerdid, vete y vuelve a nosotros pronto.

Al caer la noche, a la hora en que la luna derramaba sin

reservas su luz sobre las gradas que ascendían hasta el infinito en el inmenso anfiteatro, Sekerdid se preparó. Y esperó. Unas horas más tarde, las nubes amenazantes se instalaron sobre el campo de batalla. No soplaba ni una brisa. El circo, blanco en algunos lugares, sombrío y profundo en otros, parecía un extraño troquelado que los hombres y el cielo hubieran hecho brotar de la tierra. La oscuridad se imponía. El campamento bereber, pegado al costado norte, se hundía en una bruma negra. Sekerdid eligió el punto de ataque y se lanzó hacia él. Los hombres y los caballos lo siguieron al trote.

Vuelve a caer la noche. Durante todo el día, los sitiados de Thysdrus han esperado y han confiado.

Rodeada por Misifsen y por algunos otros jefes djeraoua, Dihya, con la mirada vacía, ordena:

—Sekerdid tendrá una sepultura. Si podemos, se la haremos dentro del teatro de Thysdrus. Si no, a la salida del pasaje subterráneo, ya que el enemigo no la ha descubierto todavía...

Al final del día, dos *imazighen* transportaron el cuerpo sin vida de Sekerdid. El grupo cayó en una emboscada y los primeros fueron asesinados. En la retaguardia, dos guerreros lograron detener su marcha y ocultarse. En cuanto se marcharon los árabes, se precipitaron sobre los cuerpos de sus hermanos. Podían elegir sólo uno, e intentar volver con él al asentamiento. Tejieron una camilla con ramas de alcornoque y de olivo y, naturalmente, depositaron en ella a Sekerdid. Rezaron por el otro muerto, como expresión de respeto, como despedida...

—No podremos construirle un *chouchet.** Haremos lo mismo que para algunos miembros de mi familia: amontonaremos piedras sobre la fosa.

La Kahina habló con voz velada. Recuerda que los grandes antepasados bereberes siempre tuvieron una sepultura.

—A Sekerdid no podemos menos que enterrarlo según el rito de nuestros antepasados.

Con la túnica de un guerrero muerto, la Kahina ha hecho tiras. Con una, rodea la cabeza de Sekerdid, destrozada por un venablo. Con la segunda, disimula el enorme agujero que una gruesa lanza le ha abierto en el pecho. En un paño de lana colorido, a rayas, envuelve desnudo al gran servidor. La Kahina hubiese querido ocupar el anfiteatro durante la ceremonia. Pero habría convertido a sus hombres en blancos fáciles para los jinetes de Hassan, de modo que renunció a ello.

Directamente en el suelo, cerca de la fosa cavada no muy lejos del pasaje subterráneo, el cuerpo aguarda el responso de los muertos. Algunos hombres, con el rostro macilento, se ponen de pie con gran esfuerzo y cantan salmos. Dihya guarda silencio. Las mujeres no rezan en su tribu judía. Con la mirada perdida, sabe que ella y sus hombres ya están atados a la muerte, a los muertos. Muertos y vivos se mezclan. ¿En lo terrenal o en lo invisible? ¿Cuál se une al otro, lo muerto o lo vivo? La "gente de la otra vida", como los llaman los campesinos, se fusionan con sus pensamientos y sus actos. Nada ni nadie, ni Dios-Yahvé ni Alá, cambiará ese acuerdo.

—Sobre nuestra tierra yacen los cuerpos de quienes han conformado el clan, la raza y los pueblos bereberes. Rindamos homenaje a Sekerdid, que desde donde esté seguirá construyendo en armonía nuestra historia —Dihya ha dicho esas pocas palabras para contener el desorden de su pensamiento.

Cree en el polvo universal —desde el nacimiento hasta la muerte— y en la vida compartida con los que se van. Es la judía de Dios, pero se pregunta qué función desempeña ese Dios-Yahvé en la desgracia y en la muerte. Su pueblo ha perdido la batalla, pero ella vengará la muerte de su lugarteniente. Y de tantos otros.

Un día en que Khaled elogiaba los méritos del Corán, y su similitud en algunas de sus partes con la ley de Moisés, le había citado la del talión:

—Se aplica en caso de crimen. Escucha:

El hombre libre por el hombre libre
el esclavo por el esclavo
la mujer por la mujer.

La Kahina contempla el cuerpo, con las pupilas dilatadas, inmóvil; no quita los ojos de la mortaja. Así Sekerdid había vuelto al punto de partida. "No habrá conocido más que guerras y señores —piensa la Kahina—. Ha sacrificado su vida por Kuceila y por mí, como había elegido". ¿La eligió realmente a ella, a la reina bereber? Kuceila le dio la orden y él la cumplió: quedarse a su lado hasta el final.

Pero esa fidelidad se había mezclado con la complicidad de sus cuerpos. Y con sus orgullos idénticos. Recuerda su deslumbramiento cuando se encontraban en su tienda. Recuerda, también, el modo en que su mirada le preguntaba por el próximo encuentro. Siempre con gran dignidad, sin mendigar jamás.

La Kahina contempla fijamente la mortaja. Las rayas de colores se desdibujan, pierden su paralelismo, oscilan en todos los sentidos, el rojo se confunde con el amarillo y el fondo blanco invade los azules y los verdes que cubren los pies. Y entonces el cuerpo se mueve, por partes, y agita la manta con movimientos cada vez más enérgicos. Dihya está segura: Sekerdid está vivo, se mueve... Un grito. La Kahina vuelve en sí y lanza un segundo grito. Con los ojos empañados de bruma verde y la cabeza a punto de estallar, cautiva de un pasado que no encontraba el tiempo para ocupar su lugar y un presente miserable que lo reemplazaba todo, en lo que dura un rezo, había rechazado la muerte. La de los otros. O había cedido, tal vez, a la urgente desesperación que provoca la soledad.

—Rápido —dice—, hay que ponerlo en la tierra…

Observa el pozo cavado por sus hombres y hace un gesto imperioso. Unos cuantos brazos extendidos bajan el cuerpo. La fosa no es muy profunda. Con las manos o con palas de madera, cubren la tumba con la tierra extraída. La Kahina permanece inmóvil. Cuando el terreno cierra su herida, retrocede y comprueba que la superficie esté perfectamente lisa.

—¿Dónde están las piedras? Tratemos de hacer una *bazina** con lo que tenemos.

Los hombres acumulan una gran cantidad de piedras. La Kahina levanta tres con las manos y las introduce en la tierra blanda. Para que logren sostenerse en forma de pirámide, es necesario colocar en la base las piedras más grandes. Se acabó. Se va. Se vuelve una vez más y ordena:

—Tomen las más chatas.

Y de inmediato, regresa al pasaje subterráneo.

39

La salida del anfiteatro romano

*L*a guerrilla heroica de los bereberes no era capaz de vencer a la *jihad* árabe. La tremenda desproporción de las fuerzas enfrentadas no podía alimentar la menor esperanza. El general Hassan conducía un ejército de cincuenta mil hombres; en torno a la Kahina se agrupaban los últimos restos de algunas tribus. De un lado, armas en abundancia, máquinas de guerra en perfecto estado, flechas y ballestas; del otro, lanzas y venablos. Y por sobre todas las cosas, el hambre y la sed que oprimían a los sitiados.

La Kahina, privada de la presencia y de la arrogante valentía de su estratega Sekerdid, cayó en la desesperación, pero no perdió la lucidez. La única batalla por ganar en ese momento era la del regreso. El retorno a las montañas inaccesibles que la vieron nacer, donde vivieron sus antepasados; la vuelta a Thumar, batiéndose en retirada, pero en orden y con la dignidad secular de los zenetas. En su atalaya, entre sus fantasmas, envuelta en la pureza del cielo, la derrota ya no sería la debacle.

A las fortalezas enemigas, los bereberes opusieron siempre las que Dios y la naturaleza les concedieron. Antes de llegar a las cumbres del Aurés, el invasor cae presa del vértigo. Se desorienta, se despeña y desaparece. La Kahina ha conservado para sí, intacto, ese refrán legendario. Cuando era adolescente, al regresar de una cabalgata en los bosques de pinos y de alcornoques al lado de su padre, esos cuentos guerreros la arrullaban después de la cena. Tayri y hasta la misma Oum Zamra, la nodriza, los recitaban como lentas melopeyas.

Busca su camino y escucha sus voces. Pero sus dotes de adivina y su carisma de profetisa la han abandonado. En ella, crece el silencio. Sabe solamente el fin que se avecina. Siempre erguida en su montura, participa del acoso continuo que sus pocos guerreros infligen a los invasores. Acompañada, protegida, siente en la mirada de los hombres de su tribu algo diferente. Un respeto incondicional, ciertamente, pero más por su pasado que por la esperanza de una resurrección. "¿Me habré convertido en una mujer vieja y común?", se pregunta.

Mientras Khaled estaba a su lado, traicionándola y deseándola, Dihya se aventuraba en su vida sin sentir el paso del tiempo. Como generala, tal vez había sobrestimado sus fuerzas, aunque nunca dio ninguna señal de debilidad. "¿Una mujer vieja y común, yo?" Sabe su edad sólo "por aproximación". Tayri y otras videntes la establecieron —de acuerdo con la historia del pueblo bereber—, según ciertos puntos de referencia: el estado de las tribus nómadas y sus movimientos, la edad —siempre estimada— de su madre, Tanirt, la fidelidad de los sedentarios más tarde... Precisaron la fecha de su nacimiento guiándose por el recuerdo de las estaciones, las mimosas en flor, los azufaifos vencidos por el peso de sus extraños frutos oscuros y la trashumancia en la llanura... La Kahina se atribuye unos cuarenta, cuarenta y dos o cuarenta y cinco años... ¡Poco importa!

Era joven gracias a lo que la mantenía creativa y victoriosa. ¿De qué modo podía utilizar su diálogo con Dios-Yahvé, sus profecías, para beneficio del pueblo? Estableció —por medio de la lanza y la injusticia— la supremacía de los djeraoua sobre el resto de los bereberes. Llevó a cabo razias, devastó graneros, ocupó los campos de pastoreo y destruyó los hogares de los sedentarios de las ciudades. No se trataba entonces, aún no, de estrategia de guerra y de tierra quemada. Dihya, convertida en la divina Kahina, había impuesto una tiranía. Por su raza. Y por la exaltación.

≈

Hoy le corresponde conducir de regreso al hogar a quienes aún quedan en pie, a quienes han defendido a su lado el orgullo de su pueblo. Y brindarles la posibilidad de sobrevivir a la derrota.

Las ciudadelas en estado de ofensiva por orden del Ghassanide, desde la Tripolitania hasta Kairuán, arrojaban al exterior a sus hombres provistos de armas y máquinas. De sus muros se lanzaban a la carga todos los días nuevas tropas dispuestas a tomar por asalto Thysdrus. Sólo un ataque fulminante contra el enemigo, por sorpresa, rompería el cerco y permitiría la retirada bereber.

La Kahina lo sabe. Un proyecto de esa magnitud está condenado al fracaso.

—¿Cómo podemos atravesar con lo que tenemos esas líneas enemigas compactas, constantemente apuntaladas por refuerzos? —pregunta al jefe Anaruz, famoso por sus dotes guerreras—. Anaruz, tu nombre significa "esperanza". ¿Piensas que una maniobra como esa tendría alguna posibilidad?

Anaruz niega con la cabeza, los otros jefes en torno a la Kahina lo imitan. Algunos murmuran:

—Es una locura... Imposible... acabarían con nosotros en un instante... Pero tú, oh divina *cheikha*, que conoces el futuro que Dios quiere para nosotros, tú, Kahina, ¿qué crees? ¿Qué ves?

El amor y la fidelidad de esos pocos hombres —los últimos, quizá— conmueven a esa mujer a quien siguen considerando su gran sacerdotisa. Y su general en jefe. Ella quisiera decirles que se hunde en el silencio, que ya no oye a Dios y que ese silencio le quita, como una mordaza, todo el poder que necesita para indagar. Ella quisiera decirles que se equivocan y que la depositaria de su destino es una mujer, una mujer vieja, una mujer común.

Pero elige callar. Sin ningún destello de esperanza, el hombre abandona esta vida incluso antes de morir. Y, además, quién sabe, quizá sus dotes de adivina podían renacer.

—Justamente. Ese ataque no nos permitirá escapar del sitio —afirma la Kahina. Luego hace una pausa como para captar mejor la gracia de la inspiración—. Lo que veo para nosotros es que debemos tomar de a dos o de a tres, en fila, el pasaje subterráneo... —Ha hablado con voz segura, como para hacerles comprender que ni las leyes de la guerra ni las de su dios protector ofrecían otra alternativa—. Los árabes aún no han ubicado claramente la salida del túnel. Hay que aprovecharlo.

Los jefes aprueban por unanimidad. La Kahina, la adivina, les ha indicado el camino. Con la boca imperiosa y la mirada brillante de siempre.

Sin perder tiempo, el séquito de los fieles se retiró del campo. Ya se oían, en las gradas del anfiteatro de Thysdrus y en la arena, los pasos de los guerreros y los cascos de los caballos. La puesta en escena de la última oportunidad había comenzado.

Hassan buscaba la falla del mecanismo de sitio. Esas pequeñas victorias conseguidas por el enemigo lo enfurecían. Alá sabría de qué manera y cómo esos bereberes que parecían estar acabados lo lograban. De los castillos de Hassan llegaban las provisiones y los refuerzos. Pero el tiempo pasaba —tres meses ya—, y no había conseguido vencer a la hechicera, a la mujer que había devastado el país y envenenado los pozos de agua, y que oponía resistencia al ejército más poderoso de toda la historia de la conquista.

Esa mujer tenía que haber sellado un pacto con el diablo para resistir de ese modo...

—Le he prometido su cabeza al califa Abd el-Malek... —repetía Hassan, y agregaba—: De lo contrario, ¡rodará la mía!

Era necesario poner punto final a esa historia.

Cae la noche. Algunas nubes impulsadas por el viento del mar se paralizan y disimulan la luna. Su luz se derrama en escasas estrías blancas. Anaruz da la señal. Unos diez *imazighen* armados con lanzas parten a la cabeza del grupo. La Kahina y su séquito los siguen y se internan en el túnel. Guían a los caballos con cuerdas, y los hombres se ven obligados a agacharse en algunos sectores. A lo largo del recorrido, el techo del pasaje subterráneo no conserva la misma altura. Las antorchas, en manos de un pueblo extenuado, iluminan un desfile de sombras movedizas, de contornos difusos. Las órdenes empujan a los hombres hacia la salida. El camino que falta recorrer hasta la libertad es largo todavía.

Con la mano en el cuello de Abudrar, la Kahina avanza con agilidad. "Sólo me queda él, ahora", piensa. ¿Dónde están sus hijos? Ifran y Yazdigan vienen detrás, después del séquito. No han participado en la construcción del pasaje subterráneo ni en los consejos de guerra, frecuentes desde el estado de sitio. Por orden de la madre, Yazdigan, íntimo de Sekerdid, lo secundaba en sus empresas sólo cuando estas no pusieran en peligro su vida. Ifran, encerrado en su frío rencor, permanecía siempre al margen del séquito. Esperaba el vuelco de la historia.

¡Alabado sea Dios-Yahvé! La salida lenta y llevada a cabo en medio de tantas precauciones ha sido un éxito. La noche llega a su fin. El cielo arroja la luz de sus últimas estrellas sobre los pinos y los robles. La Kahina se detiene y respira profundamente, con el rostro relajado. Han conseguido lo esencial: romper el cerco. Las tropas de Hassan merodean muy cerca. Seguramente están en una mezquita, pues la Kahina acaba de oír al almuecín. Se inclina, recoge un ramito de romero azulado y lo huele. Quisiera desaparecer en una madrugada como esa.

Después, monta a caballo como todos sus hombres y, con un gesto amplio del brazo derecho, da la orden para comenzar a galopar hacia afuera, al aire libre.

40

La retirada hacia Thumar

Durante días y semanas, hasta el crepúsculo dorado del comienzo de ese otoño, los *imazighen*, conducidos por su reina, recorrieron en sentido opuesto el camino que habían emprendido unos meses antes.

Frescos e impetuosos, se habían lanzado al encuentro del invasor que venía de sus *ksour* de Barka, decidido a acabar con el pueblo bereber. Para ello, el general árabe levantó torres, reforzó las murallas e incorporó a sus huestes miles de guerreros enemigos de la infiel.

Aquella guerra santa debía someter a toda Ifrikiya al poder de Alá. Tanto el Magreb el-Acsa como el Magreb el-Adna. Alá debía reinar sobre la faz de la Tierra.

En el camino, la Kahina había obtenido algunas victorias, pero al llegar a la altura del *chott* Djerid y en los oasis que lo rodeaban, un ataque árabe logró quebrar su ejército. Hassan, a quien la población había recibido con los brazos abiertos, ya ocupaba Nefzaoua y Castiliya. La reina bereber se vio obligada a retroceder para evitar el desastre, primero hasta Kairuán, que se negó a recibirla, y luego hasta Thysdrus, donde optó por recluirse.

¿Cómo era posible que los romanos, capaces de construir un anfiteatro que perduraría como fiel testimonio de su grandeza a través de los siglos e incluso de los milenios, no hubiesen reconquistado su imperio africano?, se había preguntado al llegar, asombrada por la belleza del paisaje. Aun cuando las disputas entre bizantinos y bereberes, entre el patricio Juan y el emperador Tiberio III, por un lado, y el apego de su pueblo a su territorio, por otro, hubieran agotado la paciencia de los estrategas de Constantinopla, la capital.

Siguiendo una ruta paralela al mar, al oeste de Kairuán, la Kahina bordea Mems, al norte. Mems, donde al lado del gran Kuceila luchó cuerpo a cuerpo contra los árabes de Zoheir ibn Cais. Recuerda que el enfrentamiento fue terrible. Los bereberes sucumbieron y Kuceila fue asesinado. ¿Cómo logró Dihya escapar de la muerte cuando los árabes perseguían a su pelotón? No lo sabe; sólo rememora la carnicería en la que príncipes y nobles bereberes perecieron junto a los jefes de los roums. La muerte de Kuceila no sólo privó a un pueblo de su jefe, sino que puso fin a una aventura única, destinada, sin duda, a la eternidad. El amor de la Kahina y de Kuceila estaba inmerso en la historia de la independencia bereber y, a su vez, esa historia había alimentado su amor. La pareja de amantes volvió a inventar la unidad, y engendró un pueblo. Al quedarse sola, la Kahina ascendió a la primera línea como reina de los bereberes y enviada de Dios-Yahvé. Ese dios que, hoy, la abandonaba.

Después de atravesar los olivares y, más tarde, los bosques de alcornoques y de pinos, los vencidos cruzan llanuras en las que los árboles frutales, los manzanos, los azufaifos y los granados conservan algunos frutos. La Kahina abre una vaina de azufaifa y se la ofrece a Abudrar. Como transportada por ese recuerdo a una vida anterior, murmura a Yazdigan, que cabalga silencioso a su lado:

—Chilmuma, tu nodriza, hacía polvo de azufaifa y lo ponía en tus papillas, cuando Ifran y tú eran bebés.

Sorprendido por ese recuerdo de otro mundo, de otro tiempo, Yazdigan no repara en él. Sólo pregunta cuántos días faltan para llegar a los *oueds* Meskiana y Nini. La respuesta de su madre es imprecisa. Varias decenas de kilómetros quedan aún por recorrer; hay que apresurarse porque los caballos de Hassan les pisan los talones.

Debería estar orgullosa de tener dos hijos que luchan a su lado para que el pueblo *amazigh* sobreviva. ¿Y si ella hubiera traído hijas al mundo? Una hija, ¿qué hubiera ocurrido? La Kahina vuelve a reconocerse en Dihya, cuando rechazaba los tatuajes femeninos, aquellos que identificaban el universo inferior de las mujeres dedicadas a su hogar. Esboza una leve sonrisa y piensa que habría tenido mucho que hacer con su tribu y sus tradiciones por la educación de sus hijas. En efecto, habría eliminado la enseñanza de los trabajos relacionados con la lana y la cocina. Habría prohibido que las cargaran con el fardo del bienestar del hombre —a quien toda mujer le debía una sumisión total— y de los suyos…

A sus hijas, les habría enseñado el manejo de las armas, el arte ecuestre, el gusto por las exhibiciones guerreras y la razia en caso de ser necesaria. Y sobre todo, el amor a sus ancestros, Madghis el-Abtar, antepasado de los botr, o Iabdas, que dominaba el este del Aurés, y le había impedido el paso a Salomón. ¿Por qué pensar que sólo los hombres pueden alabar a Yahvé, el dios de los judíos, velar por su culto, proteger la independencia del pueblo y de su tierra, ordenar y hacerse obedecer?

Abudrar, su caballo, se aparta del camino, a riesgo de caer en un foso que se extiende a lo largo de una fila de palmeras enanas mezcladas con ramas de acacia. Con un movimiento rápido de la mano derecha, endereza su montura y sigue fantaseando. ¿Por qué sólo los hombres podrían montar bien a caballo?

Jugurtha, Iabdas, Kuceila, hombres convertidos en héroes y ultimados a manos del invasor. Ella, la Kahina, una mujer a quien Dios-Yahvé ha inspirado y quien, después de haber conducido a su pueblo a la victoria, cae también, vencida. Aún sigue viva, ¿pero por cuánto tiempo? En todos los casos, el pueblo *amazigh* en lucha se había encarnado en una tribu judía, en hombres y en una mujer. Quizá, más tarde, en varias mujeres.

—Si hubiera tenido una hija… —se repite, alegre, la Kahina.

Los campamentos de aquella larga retirada no podían durar. Las noches, tampoco. A paso obligado, la escuadra bereber avanza hacia las montañas del Aurés, acosada por el enemigo. Hassan, sin descuidar sus plazas fuertes del sur, de Kairuán y Cartago, se lanza a una feroz cacería humana valiéndose de pequeños grupos. Adiós a la imponente maquinaria de guerra y a los poderosos batallones. Eran tan sólo guerreros montados en pequeños caballos árabes, cuyos cascos podían alcanzar a los jinetes bereberes. Al cruzar los *oueds* Meskiana y Nini, esos jinetes disparan al aire las salvas del recuerdo para celebrar una de las más dolorosas derrotas de Hassan y de la historia de la conquista árabe.

Ifran recordó con sarcasmo:

—Y aquí fue donde encontramos a un hermano, a Khaled… —Nadie reaccionó. Era el momento de escapar para desorientar al enemigo.

Cuando Baghaia asoma en el horizonte, ennegrecida aún por los incendios que la Kahina en persona había provocado, ella sabe que al ascender las primeras cuestas hacia Mascula se hallará otra vez en su verdadero reino, el Aurés. Y que los árabes difícilmente podrán escalar esas crestas de granito hasta su invencible cumbre, Thumar.

En la otra ladera, Chetma y sus rosales conducían a Tahuda, paraje en el que libró junto a su padre su primera batalla y donde obtuvo su primera victoria.

Como en un teatro en el que la acción debía continuar, Kuceila había entrado en escena en el momento en que Thabet, su padre, y Zenón, su compañero, la abandonaban.

Ese encuentro sellaba su libertad y la consagraba reina.

41

"Mi destino no era natural"

Al atardecer, la Kahina y sus compañeros llegaron extenuados a Thumar. Reconocieron de lejos las torres esculpidas como por arte de magia en la piedra escarpada.

Durante todo el camino, padeció el sufrimiento de su pueblo, hambriento, hostil y dividido. Los *guelaat* vacíos, agujeros negros en los que ya no había ni un grano de trigo ni de cebada, los campos de pastoreo y los bosques incendiados, el ganado diezmado y los pozos envenenados, en resumidas cuentas, eran ella. La mujer que impartía las órdenes, la estratega que había sacrificado hombres y bienes por su orgullo desmesurado, era ella. Al hambre se había sumado la sequía del verano. Para saciar la sed, la necesidad de beber que atenazaba las gargantas de los hombres, los *oueds* sólo podían ofrecer sus lechos secos y pedregosos. Los árboles quemados, en hileras negras, constituían el siniestro decorado que recibía a los vencidos. Hombres y mujeres gritaban a su paso su miedo y su furia. Algunos se echaban a sus pies y exhalaban en un estertor la desgracia que golpeaba a sus mayores y a sus hijos. De las tiendas brotaban quejas y plegarias. Refugiados contra el flanco de sus dromedarios inmóviles, algunos jinetes se negaban a sacrificar a sus animales.

La Kahina, extremadamente delgada, flotando en su túnica negra, montada sobre Abudrar, quiere convencer una vez más a esos espectros, surgidos de los matorrales y las almenas, de que se unan a ella para resistir al invasor por última vez.

—Hassan nos persigue. Unidos, branes y zenetas, los obligaremos a retroceder y nuestros antepasados nos bendecirán... Vengan, vengan —clama—. Olviden sus tristezas de ayer.

El llamado retumba de cumbre en cumbre, transmitido por algunos escasos fieles y propagado por el eco hasta la planicie.

—Nuestro pueblo puede resucitar mañana. Dios-Yahvé está con él.

Pero sólo unas decenas de nómadas desterrados, pastores trashumantes y bandidos en busca de nuevas razias le responden.

Quienes la amaron y siguieron como a una deidad, como a la judía de Dios-Yahvé, ya habían sufrido demasiado la injusticia, la tiranía y la opresión. ¿Hassan sería peor si deponían las armas e imploraban clemencia?

El otoño se manifestaba a lo largo del camino en el esplendor bermellón de las higueras y de los manzanos aún en pie. Los laureles siempre verdes, con sus hojas puntiagudas, se alzaban aquí y allá como presencias tranquilizadoras.

Los soldados bereberes retrocedieron de cima a cima y de los pasos a las llanuras, seguidos de cerca por los guerreros de Alá. Después de provocar importantes pérdidas en el enemigo, se retiraron en el momento propicio, retrocediendo una vez más. Al llegar a Thumar, agotados, se encerraron en la ciudadela.

Cuando apoyaba el oído en el suelo, la Kahina ya no oía el ruido de los caballos árabes. ¿Habían renunciado al ataque, en ese invierno que despuntaba? ¿Se habían alejado? ¿Tendría aún el don de oír, adivinar y profetizar? Su hijo Yazdigan, siempre afectuoso, quería convencerla de ello.

—Madre —dijo—, usted es la Kahina, lo sabe. Dios-Yahvé, que la ha elegido, seguirá inspirándola. Gracias a él, usted ya ha logrado la unidad de casi todo nuestro pueblo y...

—¿Y qué? —lo interrumpió con dureza la Kahina—. ¿Qué? ¿Dónde estamos? ¿Adónde he conducido a este pueblo cuyo destino se confunde con el mío?

Yazdigan la justificaba, aduciendo que su estrategia se habría impuesto si las fuerzas no hubiesen sido tan desproporcionadas.

—Cuarenta mil, cincuenta mil hombres... esas armas, esas máquinas gigantes para tomar por asalto las plazas fuertes, ¿cómo podíamos resistir? ¿Sólo con el heroísmo de quienes decidieron luchar?

Ifran, su otro hijo, se burlaba con malicia:

—Ha alzado contra usted a los zenetas y a los auriba, madre, y a los sedentarios de las ciudades, de cuyas riquezas se apoderó y luego destruyó. Y también a los nómadas, a quienes les vació los *guelaat* y les robó el ganado. Ya no pueden creer en usted.

En silencio, Dihya los escuchaba. ¿Ese hijo traidor era realmente fruto de sus entrañas? Y por otra parte, ¿por qué había concebido hijos?

Admite las cosas como son. Ella no eligió nada. Las cosas y la naturaleza eran así, y como su madre y su abuela, ella también había parido. Felizmente, sólo tuvo que hacerlo dos veces. ¡Qué bendición no haber sido más prolífica! ¿Otros hijos? De ningún modo. ¿Para qué? Si no, como muchas mujeres de su tribu, habría tragado esas pociones mágicas preparadas por las videntes. O habría utilizado otros medios más eficaces, ofrecidos por las viejas campesinas arrugadas que ayudan a las mujeres tanto a parir como a no tener hijos.

—No hubiera aceptado que mi cuerpo me esclavizara, me dominara y me impidiera guiar a mi pueblo —decía. Apenas se interrogaba sobre Dios-Yahvé y sus condenas.

Después de mucho tiempo, había concluido—: No es asunto de los dioses. Es asunto de una mujer que no hubiese creído en su destino y en su poder si no tuviera ninguno sobre sí misma.

Un día, Oum Zamra, la nodriza de su padre, la había regañado:

—Deja de razonar así, mi gacela. Eres mujer y debes someterte a las leyes de la naturaleza.

Una mujer, sí, pero enfrentada a una libertad y a un papel de hombre, pensaba ya en ese entonces Dihya.

—De todas maneras, eres demasiado vieja para entender, Oum Zamra. —Y abrazándose a su cuello, concluyó—: Esto es asunto de mujeres.

Todos los días veía a esas *timazighine*, cuyos cuerpos se transformaban año tras año y se hacían más pesados, esclavas de una fatalidad a la que —sostenía Dihya con cierto descaro— tenían derecho a decir que no.

—¿En qué piensa, madre? —preguntó Ifran, ocultando sus verdaderas intenciones.

—Pienso en ustedes, hijos míos —repuso en voz baja—. Pienso si he sido una buena madre, como lo fue para mí Tanirt, la mía. Los he llevado en mi vientre, los he amado y educado como a *imazighen* orgullosos de su raza, pero...

No negaba que había debilitado su voluntad —jamás les concedió ni una migaja de poder— y que en realidad los había dominado.

La Kahina guardaba silencio y se refugiaba una vez más en sí misma. El amor maternal, en comparación con el amor a su pueblo y al ejercicio del poder, nunca había prevalecido. Se veía en la obligación de reconocerlo. ¿La Kahina era monstruosa, depravada? ¿No debería haber respetado —como Tanirt, su madre, como Zeineb, su nodriza, como su abuela y la abuela de su abuela— la ley que la hizo mujer y madre, en lugar de escuchar la voz del dios de los judíos, para profeti-

zar y conducir a su pueblo hacia su destino? La Kahina sonríe al evocar el personaje que podría haber sido si… Atareada
en la tienda, preparando el grano de *seksou* para la familia y
sentada respetuosamente a los pies de su marido, a quien sólo
podía llamar, bajando la mirada, señor o amo.

—No —dice en voz baja—. No, mi destino no era ese, no
era *natural*. No he nacido para convertirme en una mujer
como las otras.

La Kahina no rechazaba su más íntima herencia. Pero
todos podemos forjar nuestra identidad y crear otra, incluso
desde la historia de nuestros antepasados.

Durante ese tiempo, la nieve ya había comenzado a caer y cubría las cimas y la plaza fuerte de Thumar con un velo opaco,
insólito en pleno día.

42

Es necesario que la raza viva

Aunque retrasado por las intensas nevadas y el frío, Hassan marchaba sin pausa hacia Thumar. Por fortuna, recuperó a Khaled, con quien mantenía intercambios vinculados a sus planes de campaña.

Después de esos años de cautiverio, sin que pudiera precisar en qué, encontraba cambiado a Khaled. Se había enriquecido con una cultura secular y honorable, la de los bereberes, y con su lengua también. Parecía proclive a la negociación, una faceta que Hassan desconocía en él.

—¿Para qué, mi querido tío, vamos a seguir peleando si esta tierra puede ser dominio de Alá con la rendición de los infieles?

—Conoces a la hechicera mejor que yo. Todas las leyendas sobre ella parecen excluir ese tipo de paz.

—No es una hechicera, noble Ghassanide —replicaba el sobrino, a media voz. Se contenía para no decir más. La Kahina era una mujer mágica, una deidad, aunque también una tirana. Pero, sobre todo, una amante única.

En varias oportunidades había intentado convencer a la Kahina de concertar una paz digna.

—Los musulmanes no tienen ni fe ni ley —exclamaba—. Sólo conocen la violencia.

Pero, explicaba Khaled al general, nos corresponde a nosotros mostrarnos misericordiosos en nombre de Alá y probar lo contrario. Recomendaba esperar, escuchar a nuevos emisarios y respetar al otro, incluso al vencido.

El general, escéptico, recordaba lo que sus espías le habían contado. La Kahina recorría a caballo la región, mientras él lanzaba el ataque hacia Castiliya, e invocaba al dios de los judíos y su profecía como una predicadora exaltada:

—Si se rinden, ya no serán hombres sino animales al servicio de los bárbaros. Serán esclavos. —Se bajaba del caballo, con la mirada fulgurante—. Es preferible la muerte. ¡Pueblo heroico! ¡No se dejen someter!

Hassan, dedicado en cuerpo y alma a vengarse de la mujer que lo había humillado, se limitó a mandar decapitar a los emisarios enviados por ella durante el sitio de Thysdrus.

—No es una mujer como las otras, señor, es la Kahina —repetía Khaled—. Usted puede odiarla, pero no puede dejar de admirarla.

Esos años en el "traidor lejano" le habían inculcado ideas extrañas, pensaba el tío. Era curioso. Pero contra su voluntad reconocía que en algunos casos sus palabras eran acertadas. ¿Qué buscaba Khaled, en el fondo? Sin duda, conocía la intransigencia altanera y el orgullo de la reina bereber, lo que no permitiría ninguna negociación con respecto a su persona.

—Es necesario que viva —insistía Khaled—. No debe morir.

—¿Y en Damasco? ¿Qué le diré al califa Abd el-Malek? Él quiere su cabeza —replicaba el jefe árabe.

Recordaba que el edecán del califa le había dicho:

—Todos en África le temen, pero la obedecen. Si la matas, el Magreb quedará en deuda contigo.

—Usted podría responderle —le contestó Khaled— que le está entregando la conquista más importante de todos los tiempos: una reina, pero también una nómada, hermana de los cedros y del viento de las montañas. Una soberana que impartía justicia en el nombre de Dios-Yahvé pero que también tiranizaba, saqueaba... Una mujer libre, bella, eterna.

Hassan dejó hablar a su sobrino, como a la espera de apreciaciones más útiles.

—Pero mira que has resultado poeta, mi querido Khaled. No hay duda de que el cautiverio ha hecho de ti otro hombre.

—No con cualquier enemigo —masculló Khaled entre dientes.

La nieve se había derretido. Las plantas resucitaban, los árboles lanzaban sus ramas nuevas hacia el cielo color amatista, y el aroma de la alheña y el romero inundaba el aire.

Las tropas árabes no disminuyeron la presión, aunque se detuvieron en las pendientes de la ladera norte de Thumar, cuyas cumbres resplandecían, iluminadas por sus mantos de nieve. El milagro del deshielo había transformado el paisaje como por encanto.

—A ver si esos patanes de Hassan creen que también tengo que ver con esto, justamente yo, la hechicera —bromea la Kahina. Acababa de contemplar, maravillada, el renacer luminoso de una naturaleza siempre cómplice.

Sitiados en la ciudadela, los últimos fieles djeraoua —a quienes la Kahina llamaba sus hijos— descendían hacia Chetma a buscar algún alimento, raíces y agua. Uno o dos pozos todavía les permitían llenar los odres. Los otros, envenenados, debían sembrar la muerte entre los guerreros de Alá cuando pretendieran saciar su sed.

La Kahina se cubre los hombros descarnados con una piel de cabra. Tiembla de frío, a pesar de que ya se ha anunciado la primavera. Siente que su larga túnica negra es demasiado liviana. Ha oído esa mañana o ha creído oír —¿Dios seguía inspirándola?— los cascos de los caballos enemigos. Se pone en cuclillas y luego se acuesta a todo lo largo en el suelo. Un martilleo le sacude el cuerpo. Hassan va a intentar subir a la montaña y atacarlos, lo presiente.

Entonces, debe hablar con sus hijos hoy mismo. Su destino no debe depender del suyo.

—Ve a buscar a Ifran y a Yazdigan —le ordena a Anaruz, su jefe de campo.

Sus hijos deben vivir; así lo quiere.

—No es sólo su madre quien les habla —les advierte, mientras se pone en cuclillas en la estera y apoya la espalda contra una viga de roble.

Sus hijos están allí, de pie ante ella, delgados e inquietos. La mirada de soslayo de Ifran traiciona su miedo. ¿Qué va a decidir la loca de su madre? Yazdigan no le quita los ojos de encima y murmura que la encuentra cansada.

—Vieja, acabada, a decir verdad. Pero ustedes son mis hijos y deben continuar nuestra raza. En esas montañas donde nacieron, nuestros antepasados nos enseñaron el honor y la fidelidad —La Kahina estira las piernas y lanza un pequeño suspiro; le duelen las rodillas—. Les pido que hagan un juramento.

Sus hijos, de pie, permanecen inmóviles, paralizados por la espera y el temor.

—Júrenme que continuarán nuestra raza. —La Kahina levanta la cabeza—. Tienen que rendirse ante el general Hassan, convertirse al islam para salvar la vida y recordarle el trato que la Kahina les dispensó a sus prisioneros después de la victoria de Oued Nini.

A pesar de derrotar a su enemigo, les dio una lección de

humanidad a los árabes, que pretendían imponer en el mundo entero al verdadero dios, mientras mataban, saqueaban y devastaban. Devolvió a los prisioneros, adoptó a uno de ellos —Khaled—, y dio órdenes de que todos fueran bien tratados.

—Ambos se pondrán al servicio de Hassan.

—¡No, no sin usted, madre, no! —grita Yazdigan.

—Te pondrás a su servicio —insiste.

Impasible, Ifran aguarda que se le permita retirarse para subirse al caballo y, al galope, unirse a las primeras filas enemigas.

—Lo mismo que tú, Ifran. No es cobardía rendirse cuando la batalla ha terminado. Y ya nos han vencido. La verdadera cobardía es la de las tribus que nos traicionaron, la de esos *imazighen* que abandonaron nuestra lucha y nuestro Dios.

—¿Y usted, madre? Nunca la abandonaré. Moriré con usted...

—Se acabó la discusión, Yazdigan. Hassan no puede olvidar que ustedes son hijos de una reina. Les confiará el mando de nuestros hermanos. En el honor como en la adversidad, continuarán la raza. —La Kahina repite—: Es necesario que la raza viva. Sí, el honor es lograr que el pueblo bereber viva para siempre.

—Madre —protesta Yazdigan—, madre, quiero morir contigo.

La ha tuteado, como cuando era niño.

—Vivirás. E Ifran también vivirá. Ya lo he decidido. Es la última orden que les doy.

La Kahina no borrará el pasado, pero precipitará el presente en un futuro sin ella.

—Hassan quiere mi cabeza —asegura, mientras levanta el cuello con orgullo—. No la tendrá.

Los tres se miran. La historia —la suya y la de su pueblo— se tambalea. Cae un profundo silencio sobre ellos y la ciudadela.

Entonces, la Kahina agrega:

—Adiós, mi dulce Yazdigan. Adiós, Ifran.

Después de una pausa, añade:

—Adiós. Vayan hacia la vida.

Levanta la cabeza:

—Váyanse. Gracias a ustedes los bereberes conservarán un poco de poder. —Extiende los brazos para alejarse de ellos—. Vayan a caballo, hijos míos. Es necesario que sobreviva nuestro clan.

43

Últimas disposiciones

La Kahina, sola con sus últimos fieles, sabe que va a morir. Las tropas de Hassan lograron izar las máquinas de guerra y cercaron la ciudadela. "¿Qué espera, entonces?", se pregunta la Kahina. No le teme a la muerte, y sabrá recibirla. Le resulta familiar. La noche anterior volvió a asaltarla una visión aterradora. Para aliviar los latidos que le golpeaban las sienes, Anella —su criada se negó a seguir a los suyos y decidió permanecer en la ciudadela— debió aplicarle en la frente una pasta de hierbas envuelta en un paño caliente. Con la mirada fija, la reina se había incorporado repentinamente, al tiempo que señalaba con el dedo el cofre, bajo la alfombra de Baya.

—Mi cabeza —dijo, con voz velada—, mi cabeza está allí.

La Tahina acababa de verla apoyada sobre una tela de lana, bañada en sangre y cubierta en parte por sus cabellos rojos manchados.

—Mi reina, descansa, estás fatigada.

Anella no ha visto nada.

Esa misma tarde, con voz firme, les pide a todos los *imazighen* que la escuchen.

—Mis fieles djeraoua, todos ustedes, mis amigos y mis hijos, hermanas mías que a mi lado han hecho vivir al pueblo bereber, ha llegado la hora de poner punto final a la lucha.

Ríndanse para salvar la vida. Así, de esta otra manera, impedirán que nuestra tribu muera.

Se oyen gritos y quejas. Para hacerlos callar, alza el tono de voz.

—Se los ordeno. Sean dignos de sus antepasados y obedézcanme.

Todos excepto unos pocos —Anaruz y sus hombres— abandonaron la ciudadela. Anella y Zeineb se negaron a partir. Se arañaron el rostro y entonaron cantos fúnebres, en homenaje a los antepasados de las tribus.

La Kahina disimuló una última emoción y aceptó conservar junto a ella a esa guardia íntima. Era su infancia, su historia. Se encerró con ellos en la fortaleza, construida en lo más alto de la cima.

La última estrategia de la reina del Aurés se resumía en dos actos: visitar una última vez las sepulturas de los antepasados y morir con honor.

Dios-Yahvé u otro dios les otorgaba a los antiguos su mismo rango en la epopeya bereber. Eran dioses familiares a quienes sus descendientes rendían un verdadero culto, a tal punto que nada tenían que envidiarle a ninguna religión monoteísta, ni al judaísmo, ni al cristianismo. Los ritos funerarios cimentaban la historia de un pueblo e invocaban su protección. Las sepulturas de Madghis el-Abtar, el más célebre de los antepasados, fundador de los botr, de djana, antepasado de la tribu de los zenetas o de Guerao, el padre de la tribu de la Kahina, constituían desde siempre los lugares de peregrinación sagrada.

El mausoleo más antiguo dedicado a Madghis, el *Medracen*, habría servido, además, para sepultar a reyes. Ese monumento construido en piedra, como un gigantesco cono posado sobre un pedestal cilíndrico, fue erigido entre el siglo II y el siglo IV a.C. —así se lo explicó Thabet a su hija, a quien llevó en peregrinación hacia Lambèze— por reyes autóctonos, presentes en esas tierras desde hacía siglos.

En esa oportunidad, la jovencita se entretuvo subiendo y bajando con agilidad las gradas —"veinte, veintitrés, veinticuatro", contaba y volvía a contar—, hasta que su padre la tomó de la mano y la condujo a la tercera o quizá a la cuarta. A la entrada del panteón, en medio de un silencio imponente, ambos ingresaron en la pequeña cámara funeraria. Ella apretó con fuerza la mano de su padre y se arrimó a él.

—Nuestros antepasados duermen allí —le explicó Thabet. Dihya no tenía miedo. Sólo se preguntaba, intrigada, cómo podían caber tantos cuerpos en un espacio tan reducido. Más tarde, Zeineb, su nodriza, le comentó:

—Creo que los queman. —Y ante la mirada aterrada de la niña, agregó—: No duele; ya nada duele. El antepasado muerto se convierte en dios.

Dihya, aliviada por esas palabras, sabía entonces que un dios no sufría.

Lo que más le llamó la atención a Dihya, tan indiferente, fue el color de las paredes, del pasillo y de la escalera: un rojo triunfal, soberano y agresivo que derrochaba luz y alegría.

—Padre, ¿por qué eligieron este color para los muertos?

—Porque el rojo evoca la vida y alienta a la victoria —respondió Thabet—. Queremos hacer vivir dentro de nosotros a nuestros muertos, asociarlos a nuestros pensamientos y a nuestros actos...

Dihya insistía, quería saber por qué el rojo ayudaba a los vivos a unirse a lo invisible y a mezclarse con los muertos.

—Es así —concluyó su nodriza—: El rojo impide que su mundo se separe del nuestro.

La Kahina, perdida en sus recuerdos, se pregunta si no fue aquel el día cuando decidió vestirse con una túnica roja sujeta con broches de plata en casi todas las circunstancias de su vida.

Conservar en el corazón y en la mente a un ser amado desaparecido, como Dihya hacía con su padre, Kuceila y algunos de sus antepasados, ¿no era el único medio de ganarle la partida a esa muerte repugnante que guardaba su secreto desde el comienzo de la vida? ¿Hacer fracasar el fracaso? Sin negar el retorno del polvo al polvo, se insuflaba así, a los que se marchaban, otra vida, más íntima y más cercana, sólo ligada a los seres que los amaban. Rechazar su desaparición y la de su trayectoria en la Tierra, la disolución en un gran Todo hipotético, merecía una lección de amor para toda la eternidad.

Sin duda alguna, la Kahina piensa en su propia muerte. Y en sus creencias. Es judía, en verdad, y reconoce el poder absoluto de su Dios-Yahvé. ¿Pero qué le dice su Dios sobre la muerte y lo que sucede después? Kuceila era cristiano y no se había sentido más reconfortado. ¿Y por qué habría que oponer ese dios a otros, al de los musulmanes, por ejemplo, a Alá?

Pensándolo bien, la lucha que Dios-Yahvé había librado contra Hassan y su *jihad* guerrera no tenía nada que ver con una guerra de religión; se trataba más bien de un mecanismo de supervivencia. El dios de los judíos no se propone reclutar nuevos fieles —¿quién podría ponerlo en duda?— y no enseña ningún proselitismo. Por el contrario. El pueblo elegido debe permanecer inalterable. Elegido sin derecho a cooptación. Elegido para siempre. Ella jamás quiso imponer ese orgullo que aísla. Al contrario de los guerreros musulmanes, los bereberes nunca intentaron convertir a los incrédulos.

—Lo que hemos defendido es nuestra tierra y nuestro derecho a impedir el avance del conquistador. Y nuestra identidad.

En el fondo, la Kahina sólo otorgaba a las religiones la importancia de una cultura, con sus plegarias, tradiciones y peregrinaciones, y una base como la del *Medracen*, que servía de soporte a un principio múltiple: el de la historia bereber. No llegaba a comprender el sentido de las guerras santas, pero estaba dispuesta a luchar hasta su último aliento contra el invasor y contra el intruso. "A medida que envejezco —se dijo, reprimiendo una sonrisa— me vuelvo más escéptica".

∾

—Llevar a cabo la peregrinación al *Medracen* es una locura, una absoluta locura.

Para ello, era necesario internarse en la vía romana que une Lambèze y Thamugas, al descubierto, a riesgo de ser exterminados por los ejércitos de Hassan que recorrían la región. Incluso en la ladera septentrional del Aurés, en el camino del inexpugnable Thumar, habían intentado, en varias oportunidades, instalar algunas pesadas máquinas de guerra.

—Es una locura, oh divina Kahina, una absoluta locura —repitió Anaruz—. Nunca llegaremos al mausoleo, pues el enemigo nos hará pedazos. —Clavó la lanza en el suelo, decidido—: Hay que renunciar, mi reina, usted lo sabe.

La Kahina se estremeció. Soplaba una brisa fresca, a pesar de que el sol bañaba las cimas de las montañas. Está decidida a llevar a cabo ese último homenaje al gran Madghis, antepasado-dios de sus tribus, y lo hará, lo ha decidido. Conocía los peligros, los había evaluado y, de todas maneras, debía acabar con eso. En la vía romana o en lo alto de su cumbre, Hassan la mataría, los mataría a todos. Era inútil pronosticar el día o creer en una resistencia victoriosa.

—Resistir hoy —le dijo entonces a Anaruz— no es más que sumar los muertos a nuestra lucha.

La Kahina se inclinó a recoger su manta de pieles con una mano, y con la otra señaló la cuesta que conducía a la vía romana.

—Mira, Anaruz, cuando ya no hay posibilidades de vencer, aún nos queda la esperanza de unirnos más, los muertos y los vivos.

Así pues, cumplirá con los ritos y ritmos de ese acuerdo fundamental.

—Iremos al *Medracen*, Anaruz, y quién sabe, tal vez el gran Madghis nos brinde su protección milagrosa.

44

"Tayri nos ha abandonado"

El homenaje a los antepasados —el último, se decía la Kahina— debía inscribirse en el fin trágico de la epopeya. Reunió a los que iban a acompañarla. Anaruz, Zeineb y Oum Zamra, la vieja nodriza de Thabet, que le suplicó:

—Antes de morir, quiero rendirles homenaje a todos nuestros antepasados y a Enfak, tu abuelo, a Thabet, mi hijo. Es mi hijo, ¡yo le he dado el pecho! ¡Por favor, mi paloma, mi suprema, llévame contigo!

Entonces, la suprema le preguntó:

—Y Tayri, ¿vendrá?

Tayri, como todo el círculo íntimo de la reina, se había negado a abandonar la fortaleza. La Kahina la vio una tarde, de pie en un rincón de la tienda, con la frente altiva y maquillada como para una fiesta. Con las manos cargadas de anillos de plata cincelada recogía los pliegues de su túnica barroca. Y con un gesto nervioso, sin duda, los soltaba para luego volver a recogerlos. Tayri dirigió a la Kahina una mirada sombría. La historia no podía hacerse ni decirse sin ella. Cuando la mujer que tenía en sus manos el destino de su pueblo pidió a sus hombres y a sus mujeres que se rindieran ante las tropas árabes para evitar la masacre, Tayri se deslizó fuera de la tienda con la liviandad de una sombra y desapareció.

La Kahina no volvió a verla.

—Tayri, noble descendiente de Madghis, Tayri nos ha

abandonado —Anaruz parece haber dudado antes de hablar—. Nos ha abandonado para siempre.

Así pues, el enemigo había logrado matarla. Así pues...

—No —intervino Anaruz, como si hubiera sentido la furia que crecía dentro de la Kahina al pensar que el Ghassanide había silenciado esa voz que expresaba todas las voces—. No, no la han matado —Anaruz duda aún—. No sabemos qué ha sido de ella.

Oum Zamra quiso callarlo. Le puso la mano sobre los labios como para amordazarlo. Consideraba que era la única que tenía el derecho de contar el final de su amiga, aquella que tantas veces había ahuyentado las desgracias que la amenazaban y que los amenazaban a todos. Sus poderes mágicos, sin duda, pero también su oído de mujer, su compasión y la certeza de que los djeraoua debían incluirla entre sus grandes antepasados.

—Era su par —así comenzó Oum Zamra. La debacle la había trastornado. Al principio, se negaba a comunicar los oráculos, luego a curar, después a ayudar a las mujeres a abortar o a curar su esterilidad—. Solía hablar sola cada vez con mayor frecuencia, dirigiéndose a los objetos, al aguamanil de plata humeante, a los frascos de polvos multicolores y a las pieles de cabra sobre las que se ponía en cuclillas. Un día, los vecinos vieron cómo se levantaba una gran humareda de la tienda de Tayri. Corrí hacia allá enseguida. Una joven *tamazight* vino a alertarme —precisó la vieja nodriza.

Oum Zamra describió una suerte de auto de fe. Tayri había apilado en el centro de la tienda todo el arsenal de sus poderes mágicos: plantas, ungüentos, pastillas de miel especial, amuletos de todo tipo, varitas de incienso embriagador y algunos escarabajos y arañas que se agitaban en cajas rudimentarias.

—¡Y les prendió fuego! —exclamó Oum Zamra—. Todo ardió, las herramientas, los cofres, las alfombras, la tienda...

—¿Y Tayri? —la Kahina interrumpió a la narradora. Lo único que le importaba era la suerte de la prostituta sagrada—. ¿Y Tayri? —repitió—. ¿Se quedó en el interior de la tienda?

—A eso voy —retomó con la misma lentitud la nodriza—. Tayri observó cómo ardía todo hasta el final. —Oum Zamra se enjugó las lágrimas—. Vio cómo ardía su propia vida. Contempló detenidamente las cenizas que cubrían lo que alguna vez fue su reino, tomó un puñado y, lanzándolo al viento, comenzó un largo monólogo, una última predicción. Como poseída por una especie de delirio, vislumbró nuestro final. "El final de los judíos, una vez más", decía. "En diez, doce o trece siglos, los judíos serán millones y por millones serán exterminados". Hablaba de los judíos conducidos al matadero como ganado, y repetía "millones, morirán millones". Nos reunimos a su alrededor. Las mujeres intentaban callarla y hacerla entrar en razón. Pero con la mirada fija en "un siglo terrible, ya verán", repetía, "él decidirá la muerte de millones". Muchos pensaban que estaba evocando a otro general árabe con poderes absolutos sobre el mundo. "Será un loco, un monstruo, un tirano de otro mundo que se considerará de una raza superior y que decidirá exterminarnos a todos".

Tayri inició un cántico en tono monótono. No escuchaba, ya no escuchaba a nadie a su alrededor: de un momento a otro se había convertido en una extraña para su propia gente. Con voz monocorde, repetía una y otra vez su sombrío panorama.

—Se creía investida de un poder inmortal —se mofó Anaruz, que nunca la había estimado demasiado—. E incluso capaz de predecir cómo serán el siglo XX o el XXX.

Oum Zamra le ordenó guardar silencio con el índice en los labios, y retomó:

—"Ese déspota querrá dominar la tierra entera", decía Tayri, "y durante un tiempo, lo logrará".

—¿Pero dónde está? ¿Dónde está Tayri? ¡Habla, Oum Zamra, habla!

Esta vez la Kahina perdió la paciencia. Se acercó a la vieja y la sacudió, tomándola por el faldón de su túnica.

—Tayri llevaba un bastón de cedro en la mano. Se cubrió de la cabeza a los pies con un gran velo negro y dijo: "Me voy". Y descendió al valle.

Según Zeineb, algunos la habrían visto sin reconocerla de inmediato:

—Una vieja demente que deseaba volver a Oued Nini, escenario del esplendor guerrero de su tribu.

—Repetía también —recordó Zeineb— que más tarde, mucho más tarde, tal vez un siglo después de la gran masacre, judíos y árabes iban a compartir las mismas tierras.

—¡Perdió la cabeza! —exclamó la Kahina.

—Espera, mi reina, espera. Tayri llegó a predecir también "como hermanos", y su argumento era que los judíos y los árabes descendían del mismo Abraham.

Tonterías, palabras radicales de una pobre mujer privada del sentido de su propia vida.

—¿Sabemos si vive? ¿Dónde está?

La Kahina exigía respuestas. Zeineb agregó entonces:

—Ella dijo: "Hoy es el fin. Un fin en el fin del mundo". Y repetía: "Me voy, me voy". Y desapareció en el horizonte. Nadie nunca más encontró su rastro.

—Muerta o viva, Tayri, nuestra memoria y el alma de nuestra tribu, nos ha abandonado.

Oum Zamra consideraba que le correspondía concluir ese episodio esencial de la historia djeraoua.

Repitió en voz baja:

—Tayri nos ha abandonado… para siempre.

La Kahina desvió la mirada y se marchó de la tienda.

Por la tarde, Oum Zamra le aseguró a Zeineb que había visto llorar a su reina mientras escuchaba su relato.

45

La peregrinación

Así, al despuntar el alba, a la hora en que las cimas de las montañas se tiñen de azul, la pequeña tropa de sobrevivientes con la Kahina al frente se pone en marcha. Zeineb y Anella montan sus robustas y apacibles yeguas. Anaruz sube a la grupa del caballo a Oum Zamra, que no puede hacerlo sola. Bordeando los senderos, las acacias y las mimosas a punto de abrirse en flor retrasan la marcha. La Kahina se detiene y huele algunas ramas. Quiere saber cuál es la altura de las palmeras que se consideran "enanas" y a qué latitud crecen los cipreses, como si estuviera de paseo. Anaruz da las órdenes: "A derecha, péguense contra los robles, avancen, esperen...". Su reina se comporta de modo extraño. Quizás ha perdido sus habilidades de guerrera y ha olvidado que están sitiados y condenados a muerte.

—Debemos apresurarnos, noble *cheikha*, hay que llegar antes del anochecer.

Anaruz parece ligeramente irritado. El regreso se llevará a cabo tan pronto anochezca. La noche no es propicia para la *jihad* guerrera de montaña. Los combatientes de Alá no se arriesgan a emplazar las máquinas y el armamento al borde de los desfiladeros y los precipicios, que se hunden en un paisaje anegado de sombras. Por otra parte, más vale combatir a una hechicera y su ejército de *djnoun*-demonios a pleno sol. De noche, son los más fuertes.

A pesar de la deslumbrante luz de esa mañana, el pequeño grupo no tuvo ningún encuentro desafortunado. Hubo que realizar dos o tres altos cada once o doce kilómetros. Necesitaban saciar —a dosis razonables— la sed de los viajeros con los odres que transportaban y acomodar mejor a Oum Zamra en el caballo de Anaruz. Pero en términos generales, excepción hecha de la enorme fatiga de la vieja bereber, todos llegaron sanos y salvos, y en perfecto orden.

La visita a esa colina en la que se alzaba el mausoleo de *Medracen* les permitió desviarse por el camino hacia las tumbas de Enfak y de Thabet. Oum Zamra, criada por la gente de Enfak y convertida en la nodriza de su hijo Thabet, lloraba en silencio.

—No lloro su desaparición, ni la nuestra, tan cercana. Lloro porque nuestro encuentro va a reunirnos para siempre —decía.

En la cabeza de la Kahina, siempre dolorida, siempre castigada por el continuo ruido de los cascos de los caballos árabes, desfilaban las imágenes hasta la piedra de las cimas. Su padre, Thabet, le había enseñado todo, cuando la oyó decir, sorprendido: "Padre, soy mujer, pero también seré varón".

Thabet había comprendido que le dejaría como herencia —a ella, a su hija— la identidad bereber. Pero no imaginaba hasta qué punto la descendiente de los djeraoua haría de esa identidad el símbolo de la unión de los zenetas, los auriba y los sedentarios y nómadas.

"Hice todo lo que pude —pensaba Dihya, como respondiendo a una pregunta de su padre—, y sin duda fallé muchas veces. Pero nunca me he dejado cautivar por los bienes, las casas ni el oro. Sólo he querido defender nuestra tierra y el honor de nuestro pueblo unido". Dihya murmuró esas últimas palabras como si pronunciara su propia oración fúnebre.

—Se hace tarde, oscurece, hay que regresar —dijo Anaruz. Reorganizó el pequeño grupo feliz, sereno porque había podido entregarse al ritual de los antepasados, y dio la orden de partir. Todos conocían a la perfección el camino que los conduciría una vez más a Thumar. Las depresiones, las cascadas, los bruscos desniveles y su vegetación. Sin embargo, Anaruz no lograba ocultar cierto temor.

—Sabemos que los hombres de Hassan no salen por la noche... —repetía Zeineb, para tranquilizarse.

Pero la noche en sí misma encierra trampas y fantasmas. La Kahina, bajo los efectos del acto de recogimiento ante el *Medracen*, parecía insensible a las nociones de tiempo y de lugar, y al miedo. Con una indolencia que la diferenciaba del resto, sólo dijo:

—Mi madre, Tanirt, me recomendaba, cada vez que salía a cabalgar en el bosque y a descubrir nuevas flores y fuentes, que regresara antes del anochecer.

Dihya recordaba y Tanirt le respondía:

—Antes de que la primera estrella aparezca en el azul profundo del crepúsculo, luz de mis ojos, debes desensillar y refugiarte en el interior de nuestras murallas.

Su madre le temía a la noche. La noche, siempre culpable de accidentes y portadora de desgracias.

Espoleó a Abudrar y se adelantó sola hasta el cruce de dos caminos de montaña. Observó el cielo, desbordante de belleza, liso como una tela en la que Tanirt hubiera bordado puntos mágicos refulgentes. ¿A quién podía resultarle nefasta semejante armonía?

46

"La mujer que ha comandado..."

*L*a Kahina espera y contempla la noche. Anaruz, sus compañeros y las mujeres llegan al trote.

—¿Se habían perdido? —pregunta, impaciente.

—Mi cactus, mi rosa —dice Zeineb, su nodriza—, no podemos ir tan rápido como tú.

—Los estaba esperando porque vamos a separarnos un instante.

La Kahina le explica a Anaruz, un poco preocupado, que al final del sendero de la derecha hay un pozo importante. Quiere asegurarse de que sus hombres, en su ascenso hacia Thumar, hayan cumplido su orden como corresponde: envenenarlo. De lo contrario, en el camino que Hassan tomará, sin duda, para emprender el asalto final, ese pozo renovará, con sus aguas generosas, la fuerza de sus combatientes.

—Tan pronto lo verifique, los alcanzo. El galope de Abudrar me ayudará a reunirme con ustedes muy pronto.

Zeineb, angustiada, no quiere que el grupo se divida. Oum Zamra, somnolienta por el ritmo de la marcha, protesta. Anella se suma al sentimiento general, mientras se golpea el pecho. Sólo Anaruz permanece callado. Ha comprendido. Y conoce su impotencia. Es inútil embarcarse en cualquier tipo de razonamiento e intentar que la Kahina revea su decisión. El plan —¿era realmente un plan?— le parece peligroso. La Kahina se reuniría con ellos en media hora; el pozo se encontraba a unos kilómetros del cruce de los caminos. Pero Anaruz simula entrar en el juego de su soberana:

—¿No podemos enviar a Asmun o a Gwafa mañana mismo? Son jóvenes y fuertes, y pueden hacer la ida y la vuelta entre el pozo y nuestra ciudadela en un solo día.

Anaruz se conformó con decir esas pocas palabras sin mucha convicción, casi maquinalmente.

—Ya basta —responde la Kahina, con su autoridad intacta. Espolea con vigor a Abudrar, y hace una seña con la lanza—: Presten atención a las grietas.

Da media vuelta y desaparece.

La luz de la luna opaca las antorchas. La noche es tan clara que la Kahina, en pocos galopes, halla el pozo donde en otros tiempos, en la primavera, los caballos y los dromedarios se detenían para cargar los odres.

Hoy, no saciará la sed de los invasores. Y si extraen agua del pozo y la beben, morirán.

Un olor pestilente invade el claro. La reina se detiene en seco. Satisfecha, reconoce el hedor del veneno bereber. Así pues, misión cumplida. Y eso gracias, también, a sus *timazighine*, sus mujeres expertas en la fabricación de veneno. Una mezcla mortal y sutil de plantas y granos, molida y amalgamada, una mezcla cuyo secreto sólo ellas conocen. Se dice que ya no queda, a unos ciento cincuenta kilómetros a la redonda, un solo pozo potable. Hassan tendrá que contar con recursos infinitos para alimentar y dar de beber a sus tropas, tan lejos de sus bases. Es cierto que los bizantinos y los bereberes han traicionado a su propia gente en masa, y le brindarán, pues, toda su ayuda.

Pero ya no es hora de tristezas. La Kahina monta de nuevo el caballo y vuelve sobre sus pasos a través de las zarzas.

Le parece percibir un destello entre los árboles. El movimiento de la luna, seguramente, sobre el follaje brillante. Avanza al paso para alcanzar el camino. Percibe, como asfixiado, un relincho, y luego, crujidos en los matorrales de laureles. El ruido de los cascos de Abudrar, el chasquido de su propio venablo y de su lanza. Acelera el paso. De pronto, dos soldados surgen de la maleza y la rodean. Con una fuerza y una agilidad insospechadas para una mujer hambrienta y ya vencida, lucha. A derecha, a izquierda. Pelea con furia. Su hábil lanza acaba con uno de sus agresores, que cae de la montura. La Kahina lanza un grito de triunfo. Aparece entonces un tercer jinete, montado en un alazán suntuosamente enjaezado. Se detiene y la contempla. Es ella, la guerrera, hija del viento y del Aurés, la hechicera amante de sus cumbres y sus bosques, la profetisa bereber siempre inalcanzable... Hassan ibn Noman el-Ghassani soñó tantas veces con ese instante y esperó tanto tiempo para lavar la derrota que había sufrido bajo el mando de una mujer...

Los dos generales se enfrentan. En ese momento, otro jinete árabe, antorcha en mano, desciende por la pendiente opuesta. Se ubica entre los protagonistas, como si tuviera que iluminar artísticamente una escena teatral. La más importante, la última.

—Retrocede —le ordena Hassan—. Vete.

La antorcha y sus luces danzantes se alejan, zigzagueando, y dejan un halo de luz. El árabe se acerca a ella, con la lanza baja.

—Es el final. Lo has entendido —le dice a la Kahina—. El final, en efecto.

Ella permanece inmóvil.

—Ya lo sé. Es el final —repite la Kahina, más fuerte.

—Ríndete, Kahina. El califa quiere tu cabeza, pero en Damasco, Khaled ibn Yezid, a quien trataste tan bien, sabrá defender tu causa.

¿Por qué invoca a Khaled en ese enfrentamiento final? ¿Por qué lo convierte en un actor en ese último diálogo? ¿Por qué, sobre todo, quiere persuadirla de que él podría salvarle la vida?

"Cree que puede confundirme, el muy cerdo", piensa la Kahina.

—Regresa de Ifrikiya con su cabeza. De lo contrario, rodará la tuya —le había ordenado el califa Abd el-Malek, en la víspera de su sexta expedición.

La Kahina conoce esa orden, ese ultimátum público y notorio en Ifrikiya. Entonces, ese ofrecimiento supuestamente generoso —que acepte, aunque sólo sea por poco tiempo, convertirse en su prisionera—, ¿para qué?

Porque, ante todo, él esperaba oír de su propia boca la rendición y verla sometida antes de morir. Causarle esa última herida le provocaba placer. Lo hacía con gusto, por su honor de general y por revancha. Quería poner las jerarquías en su lugar. Esa mujer había comandado un ejército y un pueblo en defensa de su territorio, como un hombre valiente y heroico. Era necesario borrar de la historia ese episodio contranatural. Antes de matarla, recordaría de ese modo que había logrado la sumisión de una profetisa, de una adivina, según decían. Eso compensaría los años de espera humillante en Cirenaica, hasta donde ella lo había perseguido y el califa lo había confinado, a él, el general vencido.

—Ríndete, Kahina, escucha la voz de la razón. Si no, morirás.

La antorcha se acercó una vez más. Abudrar también. Hassan estaba tan cerca que hubiera podido tirarla al suelo. Se encuentran uno al lado del otro.

—Escucha, escucha bien —le dice la Kahina—. La mujer que ha comandado a los cristianos, a los árabes y a los bereberes debe morir como una reina.

La Kahina se yergue y lo mira a los ojos mientras habla. Lo desafía y le clava la mirada con dureza. Por un instante, Hassan duda. Los ojos verdes lo perturban, tanto heroísmo en una mujer, tanta belleza y tanta nobleza, también. El caballo retrocede.

El Ghassanide vuelve en sí y levanta su filosa espada. Con un gesto seco corta la cabeza de la Kahina con su *sayf*.* Envuelta en sus largos cabellos, derramando mares de sangre, la cabeza rueda a los pies de Abudrar.

Enloquecido, el caballo lanza un interminable relincho que el eco propaga, mientras levanta la tierra con violentas coces. El animal se alza en dos patas como un espectro y relincha una vez más. Babas blancas le mojan el bocado. Luego, se lanza al galope y desaparece.

—Recógela —le dice Hassan a su lugarteniente, quien toma la cabeza por los cabellos, la levanta y la ilumina con la antorcha. Una sonrisa leve curva los labios de la reina. Hassan aparta la mirada—. Envuélvela. La enviaremos a Damasco por la mañana.

La cabeza de la Kahina llegó, pues, a manos de Abd el-Malek en su palacio de Damasco, quien la examinó con detenimiento y curiosidad. Esa sonrisa, que curvaba apenas sus labios, le pareció extraña.

—Después de todo, era tan sólo una mujer —dijo el califa.

Epílogo

$\mathcal{H}$assan el Ghassanide otorgó una amnistía general a los bereberes que se convirtieron al islam.

A los dos hijos de la Kahina, les ofreció el mando de un cuerpo auxiliar de doce mil hombres djeraoua. Así, en el nombre de Alá, partieron a apoyar la nueva invasión árabe al Magreb el-Acsa, e incluso llegaron hasta España.

Aislados y convertidos, los bereberes ya no opusieron resistencia.

Hassan organizó la administración del territorio y les concedió a todos la paz, a cambio de que pagaran el impuesto al que estaban obligados los extranjeros "infieles": el *kharadj*. Rechazó nuevas oportunidades de comandar ejércitos y así obtuvo el título de *Cheickh el-Emin*, el anciano recto.

La muerte de la Kahina acabó con la independencia bereber en Ifrikiya.

Los árabes conquistaron Ifrikiya y toda la Berbería en forma definitiva a comienzos del siglo VIII.

Glosario

Abarug: en bereber, "el zorro".

Aberkan: en bereber, "el negro".

Abudrar: en bereber, "el montañés".

Adal: en tuareg, "tigre" o "gran felino".

Aderfi: en bereber, "el emancipado", "el libre".

Agag: en bereber, "el culto".

Agerzam: en bereber, "el gatopardo".

Agizul: en bereber, "el valiente".

Aguellid: rey bereber.

Amazigh: en bereber, "hombre bereber".

Amghar: en bereber, "jefe de tribu".

Anaruz: en bereber, "la esperanza".

Anazar: en bereber, "el desafío".

Anella: en bereber, planta de la alheña.

Anisan: fiesta de la fecundidad de la tierra y del ganado.

Anya: en bereber (del hebreo *Hannah*), "la graciosa".

Asfru: en bereber, "el poema".

Asmun: en bereber, "el compañero".

Auriba: tribu de Kuceila, proveniente de la rama de los branes.

Ayrad: en bereber, "el león".

Azerwal: en bereber, "hombre de ojos azules".

Azrur: en bereber, "el bello".

Baçour: arreos de los animales de carga, cestos de esparto para el transporte de alimentos, cosechas, objetos, etcétera.

Baya: en bereber y en árabe, señora mayor, distinguida y noble.

Bazina: en bereber, montículo de piedras que cubre la tumba.

Benzert: hoy Bizerta, en Túnez.

Besant (*besante*, en castellano): moneda de oro o de plata acuñada por primera vez en Bizancio, que ha inspirado la expresión *"valoir son pesant d'or"* ("valer su peso en oro"). (La similitud de sonido entre la letra be y la letra pe produjo el primer equívoco en francés, que luego se trasladó literalmente al castellano, pues *pesant* se traduce por *peso* en nuestro idioma [N. de la T.]).

Bizacena: territorio que comprendía, aproximadamente, el Túnez actual, desde su mitad sureña hasta las fronteras de la Tripolitana.

Capsa: Gafsa, en Túnez.

Cheikha: en árabe, femenino de *cheikh*, "jefe de tribu". Por extensión, "hombre sabio, respetado".

Chilmuma: en bereber, "flor de olmo".

Chouchet: monumento fúnebre de forma cilíndrica, típicamente bereber.

Djeraoua: tribu de la Kahina, que pertenece a la confederación de los zenetas, de la rama de los botr.

Djnoun: en árabe, genio bondadoso o maligno, según las circunstancias.

Guelaat: en bereber, depósitos. En el Aurés, cada aldea tenía su *guelaat*. Muchos estaban situados en las cavidades de la montaña. Las familias guardaban allí sus alimentos.

Gwafa: en bereber, "hijo de la cumbre (de la montaña)".

haik: pieza de género larga y drapeada, que las mujeres de África del Norte sujetan por medio de fíbulas o usan sobre otras prendas.

Hippone: Bône-Annaba, en Argelia.

Horma: círculo de protección mágica que remite al honor y al carácter sagrado de la familia nómada en torno a la tienda o a su habitación.

Igider: en bereber, "el águila".

Itri: en bereber, "estrella".

Izemrasen: en bereber, "el poderoso".

Jihad: en árabe, combate. Espiritual ("gran combate") o guerrero ("combate menor"). Aquí adquiere el sentido de guerra santa para propagar el islam.

Kahina: en hebreo significa sacerdotisa (derivado de *kohen*), y en árabe, adivina.

Kanoun: en árabe, texto de derecho consuetudinario. Palabra empleada por los bereberes, derivada del griego *kanon*.

Khamsa: en árabe, "cinco".

Ksour: en árabe, "castillo o ciudad fortificada", en plural. En singular, *ksar*.

Limes: límite del Imperio romano y bizantino en África, destinado a controlar a los nómadas de los territorios cercanos a las estepas o el Sahara.

Litham: lienzo, velo con el que ciertas mujeres y los tuareg —considerados descendientes de los sanhadja— se cubren la cara.

Maxula: nombre antiguo de Radès.

Mediouna: tribu bereber judía, de la rama de los botr.

Mektoub: término árabe, "lo que está escrito, el destino".

Mekzoura: tribu bereber, subdivisión de los botr, generalmente nómadas.

Mihrab: nicho en el interior de una mezquita que indica la dirección de la Meca.

Minbar: púlpito para predicar.

Misifsen: en bereber, nombre de un rey de Numidia (–148-118), hijo del célebre rey bereber Massinissa.

Nefoussa, zenetas, louata: tribus bereberes nómadas o sedentarias del siglo VII.

Oued: en árabe, río.

Oum: en árabe, "madre"; *Zamra*, en bereber, "capaz".

Oumma: comunidad de los creyentes musulmanes.

Roums: en árabe, los bizantinos; nombre con el que los musulmanes designan a los cristianos.

Sanhadja: tribu que se cree que son los antepasados de los tuaregs.

sayf: los árabes eran famosos por utilizar esa espada corta en el campo de batalla.

Seksou: en bereber, "cuscús".

Tacapas: nombre antiguo de la ciudad de Gabes, en Túnez.

Tagwisult: en bereber, la corajuda.

Tamazigh: "bereber" (adjetivo).

Tamghart: en bereber, "mujer", en singular. A veces también "vieja".

Tanirt: en bereber, "ángel".

Tayri: en bereber, "amor".

Thumar: lugar en el Aurés, donde se supone que nació y murió la Kahina.

Thysdrus: hoy El-Djem, en Túnez.

Timazighine: en bereber, "mujeres" (en plural).

Usem: en bereber, "el rayo".

Vega: Beja, en Túnez.

Yennayer: en bereber, primer mes, indica el año nuevo bereber.

Yufitran: en bereber, "más hermoso que las estrellas".

Yuften: en bereber, "el mejor".

Zeineb o Zineb: nombre bereber y árabe, deriva del nombre fenicio Zenobie, anterior al islam.

Agradecimientos

Gracias a Benjamin Stora, que me escuchó con gran benevolencia mientras desarrollaba mi (extraño) proyecto.

Quiero también expresar mi agradecimiento a Zineb Tazi, doctoranda en historia del Magreb, cuyos documentos y palabras me abrieron los horizontes precisos de la conquista árabe de Ifrikiya.

Gracias, por último, a Anne Massard, cuya computadora transformó mis escritos difícilmente descifrables en un manuscrito.

Índice